十三經

概論 下

夏傳才 著

第5章 三《禮》

十三經中有「三禮」，即《周禮》、《儀禮》、《禮記》。「三禮」這個稱謂起自東漢末年。孔子傳授弟子的《禮》，即《儀禮》十七篇。西漢的五經，其中的《禮經》，也是指《儀禮》。《周禮》原名《周官》，又名《周官經》，出現比較晚，西漢末年才改稱《周禮》。《禮記》是儒家四十九篇禮學論文集。東漢末年鄭玄給這三部書作注，開始稱「三禮」，以後便通行天下。「三禮」中《儀禮》最早，而且是原來的《禮經》，現在的次序是晉代定的，從那時一直通行下來，我們這裡也一仍其舊，不再改動。

第一節 《周禮》

《周禮》是我國上古時代唯一的一部具體而系統地敍述政治和經濟制度的典籍。從西漢末年起，即不時有人把它作爲政治制度或經濟制度的理論依據，歷代皇朝直到明、清兩代，政治機構的設置，仍然參考《周禮》。自從它立爲儒家的經典，成爲讀書人的必讀書，又是封建士大夫治國平天下的理想藍圖。《周禮》是一部古書，使用古老的語言記述古老的制度，至今研究西周歷史和西周考古，還經常從其中尋求史料和佐證。但是，這部離開注疏根本無法讀懂的古書，注疏紛繁而多歧見，其內容複雜又有相互抵牾之處，從它成書的時代，到內容的具體情節，都長期存在著爭論。對諸家之說，目前我們也只能求同存異。

❖《周禮》的成書時代、作者和影響

《周禮》原名《周官》，相傳是西漢時期河間獻王劉德從民間搜集來的一部古書，獻給朝廷。最初並未受重視，西漢後期劉向、劉歆整理祕府圖書，發現了它。後來王莽攝政，王莽以周公自比，摹仿周制，任劉歆爲國師，把這部書改稱《周禮》，被當作「國典」，立博士，而且在行政上照搬它記述的各種制度。王莽失敗後，這部書又遭到冷遇，直到東漢末年鄭玄爲它作注，才通行天下。

相傳這部書是西周初年周公「制禮作樂」的產品，它的作者是周公姬旦。不過這是古文學家的說法，今文學家多不相信，紛紛著論批駁，直斥這部書是「僞書」，是劉歆爲幫助王莽建立新政權而僞作的。這兩種說法，一直到清代還在爭論。稽考《漢書·藝文志》，已經記載本書，參證本書的內容，又多有戰國時的事迹，所以以上兩種說法都不能自圓其說。東漢學者何休又提出成書於戰國時期，清代毛奇齡、皮錫瑞等皆從此說。

近人經過研究，多從成書於戰國之說。但是，是成書於戰國前期還是後期，仍有分歧；是成於一人之手還是多人之手，也有分歧。目前漸趨一致地認爲：本書不成於一時，可以肯定它採用了西周舊制度的一些材料，這從有一部分職官及其職掌和西周舊制相吻合可以看出來；但有些材料及其思想體系，又是戰國時代的，較孟子晚，所以它最後成書當在戰國後期；因此，它的作者也不會是一個人。不過，從全書的完整性和系統性來看，一定有一個人總其成；而書中又有互相牴牾之處，那麼當是陸續有人增補所致。從全書內容來看，它所記述的職官、政治制度和經濟制度，在西周、東周和戰國都沒有完全實行。因此，它是既利用了從西周到戰國的許多材料，又加以理想化，是關於國家政治體制和經濟體制的設計藍圖。

從這個意義上來看，莫寧說它具有更多的思想史料的價值，是研究先秦政治思想和經濟思想的重要材料。

王莽推行他的「新政」時，就是把《周禮》作爲藍圖的。西漢末年的社會問題，決不是《周禮》所設計的政治體制和經濟體制所能解決的，結果加速了王莽新朝的潰滅。北朝西魏宇文泰執政，曾經以《周禮》爲藍圖組織政府機構，並實行授田制；唐玄宗也仿效《周禮》制《開元六典》；他們都把《周禮》當作政治、經濟改革的依據。北宋王安石實行「變法」，也標榜取法《周禮》，並作《周官新義》，他的經濟體制改革也遭到大地主階級的激烈反抗，並造成全國經濟混亂，爲人民所怨詛，最後徹底失敗。以後，沒有人再照搬《周禮》那一套，但直到明、清，中樞機構的設置還是基本承襲《周禮》的六官設立六部，同時也參照了某些財政管理措施。可見直到清朝，它的影響仍然存在。

❖六官

《周禮》的內容包括〈天官〉、〈地官〉、〈春官〉、〈夏官〉、〈秋官〉、〈冬官〉六篇。在西漢重新出現時，只有前五篇，〈冬官〉一篇亡佚，另取內容相近的〈考工記〉一篇代替，湊足六篇。它把天、地、四時和六大官屬相聯繫，構成國家行政機構體系，取其囊括一切無所不包的意思。

這六大官屬是：一曰天官「冢宰」（大宰），其下屬官六十三種；二曰地官「司徒」（大司徒），其下屬官七十八種；三曰春官「宗伯」（大宗伯），其下屬官七十種；四曰夏官「司馬」（大司馬），其下屬官六十九種；五曰秋官「司寇」（大司寇），其下屬官六十六種；六曰冬官「司空」（大司空），已亡佚，不知屬官多少。書中所列官職共三百六十多個，分屬六大官。《周官》的內容，就是規定六官和所屬官職的職掌及其所形成的各種制度。

六官是國家中樞機構的六部分，中樞又管理地方，書中所列三百六十多個官職，其中有中樞的屬官，也有地方官和職事官。所以，我們通過這三百六十多個官職的記述，就可以了解它從中樞到地方基層組織以及各部門之間相聯繫的一整套國家行政機構模式。下面分述中樞六官的基本職能：

天官冢宰：冢宰就是大宰，爲六官之首，主管朝廷及宮中事務。序中規定「大宰之職，掌建邦六典，以佐王治邦國。」六典之首是「治典」，是它的本職，包括「以經邦國，以治官府，以紀萬民」；這已經是行政的最主要內容，但還兼統其他五典，即其他五官所分別掌管的教典、禮典、政典、刑典、事典。序中說，他以「八法」治官府，以「八則」治都鄙，以「八柄」馭羣臣，以「八統」御萬民，以「九職」安萬民，以「九賦」理財貨，以「九式」調節財政，以「九貢」收屬國貢物，以「九兩」協和萬民等等；此外，大宰又是王宮政務的總管，宮官都是大宰屬官。他的副職小宰，除輔他執行以上任務，還分管王宮的刑法、政令、禁令。所以大宰不僅僅相當於後來的吏部尚書、首席部長，實際上職權要大得多，相近於後來設立的宰相或總理大臣。

地官司徒：主管土地和戶口，負責分配土地，收取賦稅。爲此，司徒總的職責是「掌建邦之土地之圖與人民之數，以佐王安擾（馴也）邦國」。其具體的職掌，是諸侯時畫疆城、置社稷；管理「山林、川澤、丘陵、墳衍、原隰」之物產；施行「十二教」使民衆努力生產；施行「十二職」和「十二荒政（賑濟政策）」注重民生；制定「九等」地徵收取賦稅，以「九比之數」徵用徭役等等。它的職能，實際上是主管農業、財政，包括土地、戶籍、賦稅、賑濟以及整飭風俗，相當於後來的大司農、戶部。

春官宗伯：即禮官。「掌建邦之天神、人鬼、地祇之禮」，也就是主管祭祀和禮儀。具體的職掌是掌「五禮」：吉禮爲祭祀之禮，凶禮爲喪、憂之禮，賓禮爲禮賓之禮，軍禮爲師旅與征役之禮，嘉禮爲喜慶之禮；掌「九儀之命」（封侯、任職、賞賜等九種欽命儀式）以及「六瑞」（王公侯伯子男六爵所執六圭璧）、「六贄」（行禮時所執辨別貴賤等級的六種信物）、「六器」（行禮時用的不同器物）、車服等等，並管理卜祝、太史、星曆、樂舞等屬官。大宗伯相當於後來的太常、禮部。

夏官司馬：主管軍政。具體的職掌，是編制軍隊，防禦疆域，出師征伐，行軍布陣，訓練民兵，校閱部隊，徵收軍賦，管理軍需軍械，以及掌理國王戎事和田獵等等，相當於後來的太尉、兵部。

秋官司寇：即刑官。主要職責是主管刑罰、司法、治安；具體的職掌是：對犯罪之國以「三典」施行刑罰（新建國用輕典，平順國用中典，叛亂國用重典）；對萬民以「五刑」施行刑罰（野刑糾不力，軍刑糾不守，鄉刑糾不考，官刑糾不職，國刑糾暴）；管理刑法獄訟，掌「五刑」（墨、劓、宮、刖、殺）、「三宥」（不識、過失、遺忘）、「三赦」（幼弱、老耄、蠢愚）；掌管盟約、憲令；執行禁令、刑罰；以及管理監獄、示衆犯人、宣傳法律等等。大司寇相當於後世的廷尉、刑部。

冬官司空：主管百工、土木建築等，相當於後世的工部。本篇亡佚，以〈考工記〉補之。〈考工記〉的內容，前一部分是總論部分，論述了百工的重要，把它與王公、士大夫、商旅、農夫、婦功同列爲六職之一。它說：「爍金以爲刃，凝土以爲器，作車以行陸，作舟以行水，此皆聖人之所作也。」它認爲，這些都是智者、聖人的發明創造，不能因爲工匠世守其業而輕視，如果沒有這些能工巧匠，也就沒有必需的器物。後一部分記載各種工匠，所記可分六大類：木工（輪、車、弓、兵器柄、建築木工、舟、木質農具、鐘磬架、飲器等）、銅工（削刀、兵器鋒刃、鐘、量器、劍等）、皮革工（甲、鼓、縫革等）、設色工（畫繢、染羽、練絲等）、刮磨工（製圭、璧、琮、璋、磬等玉器）、陶工（製各種陶器）。〈考工記〉原文有殘闕，所記並不完全。據其所記，它還記述了每一器物的形狀和簡單的製作過程，對研究先秦社會經濟和手工業的發展，都是珍貴的史料。

❖《周禮》的經濟制度和經濟思想

在《周禮》的時代，農業是國民經濟的基礎，而農業生產起主要作用的是土地（生產資料）和農民（生產力）兩大要素。《周禮》是在這個基礎上，緊緊抓住這兩大要素，來設計經濟和政治的藍圖的。「普天之下，莫非王土，率土之濱，莫非王臣」，《周禮》就是基於這一思想，設計他理想的經濟制度。

王是所有土地主權的所有者，他把土地用「授田」的辦法授予農民，也將一部分土地分封給公卿士大夫和諸侯。王畿千里之內，王直接占有的土地爲鄉地、遂地、公邑，總稱王田；王分封給其卿士大夫的土地爲采地；王畿之外的土地按五等爵分封爲諸侯國。

先說王田。

王城百里之內爲鄉，王城百里外至二百里內爲遂，其土地按家庭人口和勞動力多寡，分配給農民耕種。每鄉一萬二千五百家，每家以二夫計，每夫受田一百畝，每家平均受田二百畝，共六鄉，計一千五百萬畝。農民受田只有使用權，所有權屬於王，王向農民徵收田稅（實物地租）、徵用徭役（力役地租）、徵發兵役。因此，如〈司徒〉所規定，必須確切掌握土地面積和戶籍情況，每三年要總查戶口，根據各家人口變動情況調整土地。遂外之地及遂內未分之地稱爲公邑，歸王直接指派官吏經營管理。

次說采地。

采地指分封給公卿士大夫的土地。王直屬的公卿士大夫在千里田畿內受封，諸侯國的卿大夫在該邦國受封。大夫采地二十五里（三百步爲一里），封地在距王城三百里之內；士還要少些、近些；卿的采地五十里，封地在距王城三百里至四百里之間；公的采地一百里，封地在距王城四百里至五百里之間。受封者對土地有享有權，即收取租稅享用，但沒有所有權。受封者犯罪或絕嗣無人承襲時，該封地由王收回爲公邑。受封者收取采地的租稅並不完全歸個人享有，應將其四分之一上繳給王。

再說封國。

《周禮》按五等爵實行分封建國之制，其封疆都在王畿之外。諸公的封疆方五百里，諸侯的封疆方四百里，諸伯的封疆方三百里，諸子的封疆方二百里，諸男的封疆方一百里。這些等級不同、大小不一的封建的諸侯國，數目甚多，分布在千里王畿的外圍。各諸侯國對土地只有享有權，所有權仍屬於王。諸侯國應將其所收租稅的一部分作爲貢賦獻給王。諸侯犯罪或絕嗣時，王可以將其收回另封他人。

從上面的記述可以看到，王是天下最大的地主。

關於對農民分配土地的具體方式，《周禮》中的記述不盡相同，過去的學者曾進行許多考證和爭議。其實我們可以把它們看成不同的方案，其中大體上不外以家庭爲單位分配，或以家庭與勞動力結合起來分配這兩種基本形式：

以家庭爲單位的分配，〈大司徒〉所記是「不易之地（每年可耕種的地），家百畝；一易之地（兩年輪耕的土地），家二百畝；再易之地（三年輪耕的地），家三百畝。」而〈小司徒〉所記，則是一種井田式的分配法：「一夫（家長）百畝，九夫爲一井」，但這裡所記，與《孟子》中所說的「井田制」不同，並非「井」的中間一格是公田，而是將這樣井田式的分配與行政組織合而爲一，即「九夫爲一井，四井爲一邑，四邑爲一丘，四丘爲一甸，四甸爲一縣，四縣爲一都」。

以勞動力爲單位的分配法，如〈小司徒〉所記：七口之家有三個壯勞力的給上地；六口之家有兩個半勞力的給中地；五口之家有兩個勞力的給下地。〈遂人〉中記述了上地、中地、下地的畝數。上地：家長廛（房基地）一處、田百畝、萊五十畝，其餘勞力按四分之一比例分配；中地：家長房基地一處、田百畝、萊地百畝，其餘勞力按四分之一比例分配；下地：家長房基地一處、田百畝、萊二百畝，其餘勞力也按四分之一比例分配。從上述分配的數量來看，上、中、下三等地的土壤肥力差別很大。

另外，〈大司馬〉講軍賦時還講到以家庭和勞力結合授田的方法；〈載師〉記述了多種特殊田的分配法，如場圃、宅田、士田、賈田、牛田、賞田、牧田等田地的遠近和分配、賞賜、分封的對象，我們這裡不再細述。

我們從上述材料已經了解，國王是最大的地主，他規定了授田制度，把土地有償分配給有勞動生產能力的農民使用；即使是他賞賜和分封的采地和邦國，他也要從土地的生產中分成享用，因爲從觀念上，他仍擁有這些土地的所有權。王是生產資料最大的占有者，身分地位不等的貴族——諸侯和公卿士大夫，也是生產資料不等的占有者，他們組成剝削階級；廣大農民是主要生產力，他們沒有土地，向王和貴族繳納各種形式的地租，他們是被剝削階級中最基本的、人數最多的羣衆。從按戶籍授田這種制度來看，沒有戶籍就分配不到土地耕種，而且戶籍是不准自由遷徙的，這樣，他們就只有牢牢地被束縛在土地上，奉獻實物地租和力役地租，世世代代不能改變。這種土地制度是封建領主制，雖然是以一家一戶爲單位的自然經濟，廣大農民的身份仍然是農奴。

王之所以實行這樣的授田制度，其目的是爲了徵收租稅。《周禮》所記賦稅和徵役之法也不盡一致，但主要稅目和基本輪廓是淸楚的。農民主要承擔以下各種稅役：

一、土地稅：凡受田者必須交稅，受封者必須進貢。《司徒》篇中〈閭師〉、〈委人〉記載收徵實物，經營什麼就交納什麼。〈載貢〉規定稅率：近郊之田交十分之一，遠郊之田交十分之一點五，甸、縣之田不超過十分之二，漆林交十分之二點五，場圃（宅基地及其周圍）交十分之〇點五。這些都是實物地租。

二、口賦：〈大宰〉的「九賦」之中和〈鄉大夫〉中都提出口賦，國中七尺以上、六十歲以下，野中六尺以上、六十五歲以下都得交納。「野中」之人即指農民，按一尺約合今二十公分計算，凡是人到一米二十公分高、六十五歲以下，都得交稅，這是「人頭稅」。

三、力役：指無償勞動。《周禮》中記載徵用力役有徭役、師役、田（獵）役三大項，都是按土地和勞動力狀況徵發的。徭役，就是出苦力爲國家或貴族從事無償勞動。師役，指軍事活動徵發民工。田（獵）役，指國王和貴族田獵活動徵用民工。關於力役徵用多少，《司徒·均人》的記述是按年成豐歉有所不同，豐年平均每旬三天，中等年成平均每旬兩天，歉年平均每旬一天，可以在一年中集中於一次或數次使用。按照這個設計，中等年成，一年要無償服勞役七十二天，如果是豐年，一年就要無償服勞役一百〇八天。這是相當沈重的力役地租。

四、兵役和軍賦：每家一人（戶長）服兵役，爲「征卒」；其他勞力爲「羨卒」，臨時徵調。每逢軍事行動，要出牛、出馬、出車，即軍賦。戰爭頻繁，農民負擔繁重。

此外，還有各種「罰款」，有的罰款，《司徒・閭師》說要繳納「里布」、「夫布」，即貨幣。徵收貨幣，當時已經出現。

農業生產的豐歉及其再生產，直接關係統治階級的統治地位和收入，所以統治階級也十分關心農業的生產和再生產。在〈司徒〉一章中分別記述了對提高生產力的關注。〈司徒〉所說「辨十有二土之名物」和「辨十有二壤之物」，都是提倡根據不同的土質種植不同的作物；〈草人〉提倡「土化之法」，即種籽處理，提高種籽的發芽率和發育生長能力；〈稻人〉中提倡水稻產區的水源利用以及利用雜草漚肥……這些都是爲提高產量而推廣農業增產技術。爲了保證農業生產，設專職官員「司稼」巡視耕作，按時令推動耕稼以及進行技術指導。《司徒・均人》主張按年成好壞調整稅率，調整的原則是豐年照收，荒年減半；用多產不多徵鼓勵提高產量，用荒年減半，來保證農民的口糧，使勞動力能夠生存。〈稟人〉中還提出二釜

（每釜六斗四升，但古制遠遠小於今制）爲農民每月最低口糧數，收獲小於此數，租稅可以減免。〈大宰〉還提出「荒政」（賑濟政策）十二法，即在大災年份，採取適當的賑濟措施，如貸給種籽糧食，開放山林川澤准許人民入內謀取生活資料，減賦緩刑，息徭役，鼓勵增加人口等等。這些都是爲了保護生產力，保證再生產。

山林、川澤、礦藏等一切自然資源，實行國有化政策，設專職官員管理，人民不得任意開發。至於「靠山吃山」的人伐木和採集山貨，「靠水吃水」的人捕撈水生動植物，只能依照規定進行生計活動，而且產品在納貢之餘方歸己有。

從《周禮》的記述來看，當時商品經濟已有一定發展。國家經營商業，並允許私人經商，保護正常的商業活動，當時已經使用貨幣調節市場。大宰把「商賈阜（盛）通貨賄（財帛）」作爲「九職」之一。〈司徒〉中有十三段記述市場管理和商業稅的徵收，由此可見商業已經比較發達。國家對市場施行嚴格管理，如劃定市場並按時開閉，實行商人節符憑證和關門檢查，禁止投機活動，禁止奢侈品上市，進行物價管理，規定並檢查度量衡標準，統一成交券書，以及收購滯銷物品和賒貨國家收購的物品等。市場管理官員還要負責維持市場治安、處理市場爭訟以及徵收市場稅、貨物稅、印花稅、堆棧稅，另外還有關稅、門稅、屠宰稅等。官府對商業發放高利貸。當時有奴隸買賣，在市場上公開進行，奴隸的來源是罪人、盜賊沒入爲奴以及戰爭俘虜，但這些奴隸是家庭奴隸（奴婢）。奴隸的子女仍是奴隸，也像牛馬和財物一樣屬於主人。這樣的奴隸在社會生產中不占主要地位。

綜上所述，《周禮》所設計的經濟制度和經濟思想，是封建領主制的經濟制度，它所反映的社會經濟面貌，屬於封建社會初期的社會經濟形態。

❖《周禮》的政治制度和政治思想

政治是經濟的集中表現。王是一切土地和自然資源的占有者，對人民實行奴役剝削，適應這一經濟基礎，《周禮》所建立的是一個封建專制的統一帝國，對人民進行鎮壓和施行有效的行政管理的政治制度。全書最基本的思想是君主專制和大一統。

《周禮》現存五篇，每篇序文開頭的文字，都是一樣的五個分句：「唯王建國，辨方正位，體國經野，設官分職，以爲民極。」這五個分句的意思是說：王者封建諸侯和立國，選擇和確定國都與宮室的方位，劃定國野域界，任命官員並規定其職守，使對人民的統治有準則。這是一個總綱，它首先說明了由王者封建諸侯邦國，由王者建立統治中心，由王者劃定國野域界授田分封，由王者任命官吏照他的規定辦事，由王者制定人民必須遵守的各種制度。在這裡，開章明義，規定王集中一切最高的權力。

在《周禮》的全部記述中表明：立法權是屬於王的。從國家機構的規劃，到各種制度和法規，都由國王制定，諸侯國由王封建，六官都是王的職能官員，他們全部是王的臣子、僕役和辦事人員，王對他們掌握分封、任命、罷黜的權力。中樞六官及其所屬地方官員，他們的職責是「佐王治邦國」，執行由王制定的行政、司法、監察的制度和法規。在這裡，監察只是由上而下，上級對下級官吏推行考課、檢查，一切權力機構都是王的辦事機構，接受王的監察，王對全體臣民還掌握支配、使用和生殺予奪的最高權力。

在《周禮》的整個國家體制中，沒有任何制約王的權力機構。《司徒．保氏》一節談到保氏有「掌諫王惡」的職責，似乎有點監督作用，但這僅僅是諫議，並沒有制約作用。《司寇．小司寇》和《司徒．鄉大夫》也曾提到「詢萬民」，不過這裡的「民」，不包括「野」民即農民在內，指的是「鄉」（國）民即主要是統治階級，而且只限於解決三個問題：「一曰詢危（國家有兵寇之難）、二曰詢國遷（遷都）、三曰詢立君（王無嫡而選庶子為嗣）。而且這三項，也僅僅是咨詢，並無決議權。對於王手中集中的全部權力，沒有任何制約機制，這是君主專制制度的一個重要特徵。

我們在前面已經概述《周禮》行政體系中的中樞六官，它們組成龐大的國家機器。把中樞機構劃分六個系統，規定各個系統的編制和職守，使之各司其職，各盡其責，從而發揮整個國家機器的行政效能。這是《周禮》對上古政治經驗的總結，符合封建政治的需要。所以，直到明、清，六部制依然是封建社會國家中樞機構的模式。

這樣龐大的國家機器，其基本職能是代王徵收稅役和統治人民。爲了完成這兩項任務，《周禮》還設計了地方行政組織並具體規定其職能。

《周禮》的地方行政組織是「鄉」、「遂」制，這是把土地、居民、行政機構三者結合，按照便於授田、徵收賦稅和徵發徭役、兵役的原則而建立的。

邦國都鄙實行鄉制，稱比伍法，或比閭法。其組織形式是把全體居民編組，按〈大司徒〉規定：五家爲比，五比爲閭，四閭爲族，五族爲黨，五黨爲州。從基層組織比、閭、到鄉和六鄉，逐級行政組織都沒有官吏實行行政管理：比設比長，管五家，由下士充任；閭設閭胥，管二十五家，由中士充任；族設族師，管一百家，由上士充任；黨設黨正，管五百家，由下大夫充任；州設州長，管二千五百家，由中大夫充任；鄉設鄉大夫，管一萬二千五百家，由卿充任，六鄉七萬五千家，設鄉老三人，一人管二鄉，由公充任。

這種行政組織方法，又是和軍制結合爲一的，每家出一人當兵，共七萬五千人，建立六軍。其編制五人爲伍，設伍長；五伍爲兩，二十五人，官長爲兩司馬（中士）；四兩爲卒，一百人，卒長爲上士；五卒爲旅，五百人，旅師爲下大夫；五旅爲師，二千五百人，師帥爲中大夫；五師爲軍，一萬二千五百人，軍將爲卿；六軍共七萬五千人。軍、政組織是統一的，在一般情況下，行政長官也就是軍事長官。

鄉之外實行遂制，稱鄰里法。據〈遂人〉規定：「五家爲鄰，五鄰爲里，四里爲酇，五酇爲鄙，五鄙爲縣，五縣爲遂。」各級行政組織也都設各級官吏，實行行政管理，官吏級別較鄉制低一級：鄰設鄰長；里設里宰，管二十五家，由下士充任；酇設酇長，管一百家，由中士充任；鄙設鄙師，管五百家，由上士充任；縣設縣正，管二千五百家，由下大夫充任；遂設遂大夫，管一萬二千五百家，由中大夫充任；六遂共七萬五千家。六遂的鄰里法和六鄉的比閭法，組織形式完全一樣，只是名稱不同，二者各級官吏級別相差一級。六遂居民也是每家出一人當兵，建立副六軍。副六軍的編制也完全與正六軍的編制相同，也共有七萬五千人。

六鄉、六遂的居民，每閭或里（即二十五家，聚居一處，構成一個邑里，簡稱邑，邑之周圍是農田。由於地形不同，農田分布不等，也可以四鄰（或比）、三鄰、二鄰成一邑，二鄰（比）十家是最小的邑。邑相當於後世的村落，閭、里官員相當於村長，由中士或下士充任。這樣，在廣漠田野上星羅棋布的一個個村莊，被一個嚴密的網組織起來，由各級大大小小的官員由上而下地管理和控制。鄉、遂各級地方官員的任務，平時管理戶籍和土地，督令居民從事農業生產，徵收賦稅，徵發徭役，執行禁令，處理爭訟以及整飭禮俗等事，遇警則督率出征打仗、緝捕盜賊以及參加軍訓、校閱、田獵、軍事值勤等活動。因爲最小的行政基層組織只有五家，閭、里也只有二十五家，官員對人民完全可以做到嚴密控制。

在這種行政組織體系中，每個人和每個家庭，都被編組在一定的行政體系中被管理，《周禮》還主張推行聯保制。《大司徒、族師》提出：「五家爲比，十家爲聯；五人爲伍，七人爲聯；四閭爲族，八閭爲聯。使之相保相受，刑罰慶賞相及相共，以受邦訟，以役國事，以相葬埋。」在行政組織或軍事組織之中，每比、每伍要互保，兩個比之間、兩個伍之間、兩個族之間也要聯保。保什麼呢？這裡也提出「相葬埋」、「相和親」，但重點卻是保證遵守法令，保證出稅出役，「刑罰慶賞相及相共」；「相保」就是「連保連坐」，是一種行政株連制度。《周禮》提出的是比、閭、族之間的層層聯保，使人人相互監督、閭與閭、族與族互相監督。舊中國整個封建社會都採用這種聯保制，直到民國時期實行的保甲制，都是依靠這種制度來加强對人民的鉗制。

上面引的文字還提到「相受」，「比長各掌其比之治，五家相受」，又說：「鄰長掌相糾相受」。相受，指的是遷徙的居民被遷入地的行政組織所接受。據《周禮》規定，居民是不能自由遷徙的，遷徙必須得到批准，由遷出地的行政官親自把他送交遷入地的行政官，如果距離遠不能親送，就給予憑證，憑證遷入，再接受遷入地官員的管理和同鄰里的聯保監督。自由遷徙是違法行爲，要入獄的。

社會組織是由氏族組織演變而來的，在《周禮》的社會組織中也存在著原始氏族制度的痕迹。同族的人比鄰而居，而且「使之相葬」、「使之相救」、「使之相賙」（〈大司徒〉），還有社會組織和軍事組織合一，都是氏族制度的遺迹。但是，《周禮》已經從本質上改造了它們。氏族社會組織的公職人員是由本氏族民主推選的，其職責是處理公衆事務；服兵役是自由的，是義務和榮譽。《周禮》所設計的地方組織之中，鄰、閭長卻是統治者任命的下級官吏，其職責是剝削和統治人民。統治階級實行「寓兵於農」的政策，是强制農民服兵役爲其征伐。

爲了維護封建領主制統治，《周禮》提出「禮」和「刑」兩種統治手段。

先說「禮」之於政治。

「禮」是《周禮》治國的基本原則。在六官的職掌分工中，「春官宗伯」是掌管「禮」的，但實際上，各官的各級組織和官員都必須按「禮」辦事，並且要用「禮」來教化人民。〈大宰〉中的「以和邦國，以統百官，以諧萬言」，是對「禮」在政治生活中作用的明確概括。

《周禮》中的「禮」有「吉禮」、「凶禮」、「賓禮」、「軍禮」、「嘉禮」五大類和數十小類。所有的「禮」都有等級規定。各種不同等級的人，在都城、宮室、車旗、服飾、器用、坐位、用樂、揖讓等等方面都有不同的具體規定。把這套禮制作爲人們在社會生活中必須遵守的行爲規範，這就把專制等級制度深入到人們日常生活之中。在《周禮》中，「禮」不僅是觀念和習俗，而且是行政規定，凡僭禮、越禮，都會受到行政和司法官員的整飭和制裁，「禮」成爲在思想和日常生活中統治人民的一種手段。

再說「刑」。

《周禮》中的刑禁種類很多，規定十分繁雜。如有三典（治諸侯國）、五刑（野刑、軍刑、鄉刑、官刑、國刑）、五禁（宮禁、官禁、國禁、野禁、軍禁）、鄉八刑（不孝之刑、不睦之刑、不姻之刑、不弟之刑、不任之刑、不恤之刑、造言之刑、亂民之刑）；具體刑罰有五刑（墨、劓、宮、刖、殺）五百多條，輕罪則關進監獄勞役，以及採取公布罪狀損辱人格的措施等等。其中，也提出有寬赦之法以及促使犯人改悔，但刑法還是嚴苛的。

有一點更能說明《周禮》刑法的性質，它實行的是等級法。〈大司寇〉記述對卿大夫和對庶民施用不同的法典：對卿大夫斷案用「邦法」，對庶民斷案用「邦成」。〈小司徒〉又規定「凡命夫命婦不躬坐獄訟」，就是說貴族和高級官員及其妻室不用出庭打官司。用刑時因等級高下而有輕重不同，按照「八議」即依據「親」、「故」、「賢」、「能」、「功」、「貴」、「勤」、「賓」八種情況可以減刑或免刑。《周禮》法律的主要鋒芒是對向人民的，很顯然地說明它是鎮壓人民的工具。

統治階級經過長期的司法實踐，爲了使法律這一工具更有效地發揮對人民鎮壓和警誡的作用，也總結司法經驗，這在《周禮》中也有所記述，如：斷案强調細緻查問，重物證；判死刑要廣泛徵求各方面意見；判刑時候要區分出過失罪；對兒童、七八十歲老人以及白癡等犯罪予以赦免；對一般過失或糾紛應加强教育和調解等。這些都是可取的司法經驗。

「禮」和「刑」二者不是割裂的，而是相輔相成的。

第二節 《儀禮》

《儀禮》，原來只叫《禮》，也就是孔子傳授弟子的《禮》；漢代人稱爲《士禮》，又稱《禮經》，到晋代改稱《儀禮》。

《儀禮》是一本殘缺不全的書，現只有十七篇，全是禮儀的詳細記錄，一般只記禮儀，不講意義，所以讀起來既費力，又枯燥無味。

❖禮的起源和禮制

什麼是「禮」？我們在這裡所說的「禮」，是指我國奴隸社會和封建社會的等級制度以及與此相適應的一整套禮節儀式。

「禮」的起源早在奴隸社會之前。在原始氏族社會時期，在人們的共同生活中，經過長久的歷史過程，由於風俗習慣而形成某些大家共同遵守的禮節儀式，便是最早的禮儀。這樣的禮儀，在氏族公社時代已經積存不少。《禮記・禮運》篇裡追述了遠古原始社會祭祀活動的儀式，是符合人類學和氏族起源學說的。《儀禮・鄉飲酒禮》記述了古代鄉定期舉行的以敬老爲中心的酒會儀式，和起源於氏族社會的長老議事制度。在氏族社會，人們進行祭祀、婚、喪、議事、交往等活動，由於長期習用，相約俗成，逐漸形成大家都遵從的「禮俗」。例如，氏族社會的祭祀祖先之禮，本來是通過祭祀本氏族的祖先，加强氏族成員在共同血緣基礎上的團結；婚禮是强化一夫一妻制的產物，使當事人的婚姻關係得到公認；喪禮在於表示哀思和悼念等等。禮，屬於意識形態，是社會文化現象。

奴隸社會是從原始氏族社會發展而來，奴隸主統治階級一方面不得不繼承已經相約俗成的某些禮俗，一方面又對它們進行改造，塞進階級統治的內容，使它發展成爲統治階級的上層建築。其中，最突出的是强調上下尊卑關係，尤其是强化王的天子的地位和權威；又如各種祭禮都規定嚴格的等級，用以確保絕對不可逾越的階級和等級制度。原來祭祖先，是全氏族成員共同參加的，這時分化爲天子之祭、諸侯之祭、士大夫之祭、平民之祭；原來祭祀神靈，是人們共同的信仰，這時分化爲唯有天子行祭五岳禮，唯有天子、諸侯祭社稷等等；喪禮也分化了：天子稱崩葬、魯公稱薨葬，諸侯稱卒葬，身份不同，喪葬禮儀規格就不同。這些禮儀經過歷代不斷充實和完善，形成一套嚴格而繁瑣的禮儀制度。除了這類禮節儀式，禮制還包括國家制定的政治上的各種制度，如上一節的《周禮》，就是國家體制和官制。西周初期周公制禮興樂，制定了一套完備的禮制，孔子特別推崇西周的這套禮制，「郁郁乎文哉！吾從周。」就是提倡以周的禮制來治天下。貴族階級的政治制度及其禮儀制度，只要稍加改造就可以爲封建統治階級所用，所以它又爲封建王朝所繼承。

《周禮》的內容是政治體制和官制，《儀禮》的內容是西周的各種禮節儀式。西周的儀禮是很多的，傳說有三千，又說有三百；當然這都是虛數，但可以看出其數量很多。《周禮・大宗伯》把禮儀概括爲「五禮」，下面把五禮的內容再略作介紹：

一、喪禮：即祭祀之禮。古人認爲祭祀是國家的大事，所以列爲五禮之首。祭祀的對象有祖先、上帝、日月星辰、司中司命、風師雨師、社稷、五祀、五岳、山林川澤以及四方百物等等，有規格大小不等的祭祀。

二、凶禮：除了喪葬之外，還包括天災人禍的哀悼。如飢饉、水災、旱災、戰敗、寇亂，以及其他災變和不幸事件。

三、賓禮：即朝覲之禮，指天子接見諸侯來王朝朝見，各諸侯之間互相聘問、會盟等等。

四、軍禮：主要指戰事（出師、報捷、凱旋、獻俘）以及對諸侯兵力的規定，也包括田獵、建造城邑和劃定疆界等。田獵，指大規模狩獵，依軍事組織進行，實際起訓練和檢閱武力的作用；建造城邑和劃定疆界而發動人力也都依軍事組織進行，所以都屬軍禮。

五、嘉禮：內容較複雜，指婚冠（娶嫁、成年）、飲食、賓射（與賓客共射），饗燕（宴享）、脤膰（親兄弟之國），以及種種慶賀之禮。後世只指婚禮。

在古代，禮制與法律和政治規定沒有明顯的界限，所以章太炎《檢論》曾說：「禮者，法度之通名，大別則官制、刑法、儀式是也。」「禮」的主要作用是規定社會各個等級的尊卑貴賤。地位不同，衣、食、住乃至祭祀、喪葬、千事百事，各有各的規格，不能逾越，逾越就是僭，構成犯罪。《禮記．坊記》轉述孔子說：「禮」好比是防，是限制人們逾越其本分的，人們應該各自安分於現在固定的位置和待遇。春秋末年，禮制遭到嚴重破壞，魯國大夫季氏用「八佾舞於庭」，孔子認定是季氏的大罪一項。「八佾」是諸侯才能用的樂舞，大夫是家臣，竟然用諸侯的舞樂，這就是「僭」，所以孔子大發脾氣說：「是可忍孰不可忍！」軍禮規定諸侯兵力不超過千乘，城邑不超過一百雉（每雉高一丈長三丈）的規模，卿大夫之家兵車不超過百乘，超過這些數目，就會對天子的統治秩序構成威脅。「禮」具有鮮明的政治性，它是維護君主專制制度的工具。「禮」講的是君主專制的等級制度，所以它公開提倡不平等，不平等是「禮」的本質之一。

《禮記．曲禮上》講過衆所周知的兩句話：「禮不下庶人，刑不上大夫。」「刑不上大夫」就是《周禮》所定的「凡命夫命婦不恭坐獄訟」，而且犯了法也可以按「八議」寬赦；「禮不下庶人」是說老百姓貧苦勞碌，沒有經濟條件和富裕的時間來講究鋪排而且繁瑣的禮儀，他們根本無法舉行或參加那些隆重而靡費的禮儀，所以也就不包括他們在內。對他們的要求只是按禮制的規定安於他們的地位，遵守他們的本份，處處不「僭禮」也就行了，如果違反了這個要求，就要按禮法予以制裁。

❖《儀禮》的成書和流傳

《儀禮》是孔子傳授弟子的重要課程，也是儒家傳習最早的一部書。這部書出於何人之手，古人說法不一致。古文經學派認爲是西周初年周公「制禮作樂」時所制作；這個說法不大可信。《史記》和《漢書》採取今文經學派的說法，認爲是春秋末年孔子採綴周、魯各國殘存的禮儀加以整理記錄成書，後人多同意這個說法。

春秋末年周王室衰微，禮崩樂廢。孔子幼時好禮，兒時嬉戲即習仿禮儀形式，成年後專意「適周問禮」，注意採輯搜訪。《論語・八佾》記他「子入太廟每事問」，問的是禮儀的事，說明他隨時學習，到處打聽。他又經常演習：他在魯國習射禮，觀者如堵牆；帶弟子周遊列國，半路上在大樹下也習禮；習禮是他教學生的重要課程。《史記》說《禮》「記自孔氏」，《漢書》說是孔子「綴周之禮」，都是說是孔子採輯周、魯各國即將失傳的禮儀整理成文字記錄。

《儀禮》由孔子作文字記錄，而所記錄的禮儀活動，在成書之前卻早已有之。書中有那樣繁縟的進出之禮、趨詳之禮，不是一時一人所能如此詳盡設計的，它不可能是周公的製作，也不可能是孔子的編造，只能是在歷代各種禮儀的基礎上，經過長期實踐而逐漸充實完善的。這就是說，孔子所記的這些禮儀形式，不但有周、魯各國的，還有更早時代的；其中有的禮儀還是最早由原始氏族社會傳下來的，不過後來又不斷改造、充實、完善罷了。

孔子之後的儒家學派，一直重視傳習《儀禮》，許多儒者就以執禮爲職業。秦始皇焚書，沒有殺絕的儒生在民間演習他們的禮儀，習俗是禁不完的。

漢代的《儀禮》也有今文、古文之分。今文《儀禮》即現在所傳十七篇。據他們說，孔子記錄整理傳授弟子的只有這十七篇。西漢今文《儀禮》自魯高堂生傳授多家，通行有戴德本、戴聖本、慶普本，據一九五九年甘肅武威出土的《儀禮》慶普本，與大戴本、小戴本比較，篇目相同，但篇次順序不同，篇題和正文字句也有歧異之處。現在通行的是東漢末鄭玄的注本，鄭注本的篇題和篇次順序，是依據劉向《別錄》所定的次序和篇題。

在今文《儀禮》傳世時，據說又有河間獻王和魯恭王從孔子舊宅壁中得到的古文《儀禮》。古文《儀禮》五十六篇，除今文已有的十七篇外，另有三十九篇。這三十九篇的眞僞問題，曾經在今文學派和古文學派中進行爭論。不過這三十九篇，鄭玄沒有爲之作注，以後也失傳，稱爲《逸禮》。我們現在連篇目也不得而知，其眞僞問題也不必爭辯了。我們現在讀的《儀禮》，即今文十七篇。

❖十七篇解題和主要注本

《儀禮》十七篇可分爲四組，分列於下：

第一組：冠昏（婚）之禮，三篇：〈士冠禮〉、〈士昏禮〉、〈士相見禮〉。

第二組：鄉射之禮，四篇：〈鄉飲酒禮〉、〈鄉射禮〉、〈燕禮〉、〈大射禮〉。
第三組：朝聘之禮，三篇：〈聘禮〉、〈公食大夫禮〉、〈覲禮〉。
第四組：喪祭之禮，七篇：〈喪服〉、〈士喪禮〉、〈既夕禮〉、〈士虞禮〉、〈特牲饋食禮〉、〈少牢饋食禮〉、〈有司徹〉。

我們依這個篇次順序，將十七篇解題於下。

〈士冠禮〉：古代貴族青年到二十歲爲成年，舉行加冠儀式，並且起個字（別名），表示他已經成年，開始享受成年人的權利，承擔兵役等義務。這一禮俗是從氏族社會的「成丁禮」發展而來的。

〈士昏禮〉：古代貴族之間締結婚姻關係是大事，有複雜的手續、繁細的儀注，這篇禮文記述了婚姻當事人雙方在家長主持下從納采（下定）到婚姻後廟見等一系列禮儀。周王、公侯和一般貴族結婚的禮儀形式基本相同，只是身份地位越高，禮物、排場越加高貴富麗。

〈士相見禮〉：記述貴族與貴族第一次交往，一方攜帶禮物登門求見以及對方回拜的禮節。

〈鄉飲酒禮〉：古代鄉一級基層行政組織定期舉行的以敬老爲中心的酒會儀式。據考證，它起源於氏族公社以尊老和養老爲目的的會食（聚餐）制度。這種儀禮一直持續到清代後期，各地因缺乏經費撤消。

〈鄉射禮〉：以鄉爲範圍舉行射箭比賽大會的具體儀節。上古氏族部落爲防禦侵襲，以及從事狩獵活動，對成員進行狩獵和作戰訓練，提倡尙武精神，定期舉行騎馬、射箭、搏鬥比賽。貴族統治階級實行「寓兵於農」政策，繼承了這一傳統，來和他們的民兵訓練相配合。「鄉射禮」這種形式，又像是地方運動會。

〈燕禮〉：「燕」，就是「宴」。記述諸侯及其大臣們舉行酒會的詳細禮節。禮節繁縟，場面鋪排，酒宴上有專用樂隊和藝人伴樂演奏。

〈大射禮〉：國君主持下舉行射箭比賽大會的種種禮儀規定。這樣的大會由各級諸侯參加，類似全國範圍的大運動會。

〈聘禮〉：各諸侯國之間，以及國君派使節去他國進行禮節性訪問的具體禮儀。

〈公食大夫禮〉：國君擧行宴會招待來訪的外國大臣的具體禮儀。

〈覲禮〉：諸侯朝見天子的禮儀。

〈喪服〉：記述死者親屬喪服的種種差別，根據親疏遠近，對喪服和服期有不同的具體規定。這些規定形成「五服」制度，後來對我國政治、法律和民俗各方面都有長遠的影響。

〈士喪禮〉和〈既夕禮〉：記述一般貴族從死亡到埋葬一系列詳細禮儀。

祀稱特牲。

〈士虞禮〉：記述一般貴族埋葬父母後回家舉行安魂禮的禮儀。

〈特牲饋食禮〉：記述一般貴族定期在家廟祭祖禰的禮儀。父死立牌位稱禰。用牛、豬祭祀稱特牲。

〈少牢饋食禮〉和〈有司徹〉：記述大夫一級的貴族在家廟祭祖禰的禮儀。用羊、豬祭祀稱少牢。

我們今天讀《儀禮》，當然不是學習這些禮儀。在我們的現實生活中，這些禮儀已是毫無用處的。我們了解它們，可以了解周代貴族生活的一些側面，把它們做爲考察周代社會的具體材料；同時，它們還保存了原始禮俗的一些成份，使我們觀察到氏族社會的一些痕迹。再者，後世各朝代禮典制度，大都以《儀禮》爲依據，其婚、冠、喪、祭等禮儀，一般爲後世所承襲，只在細節上有所增減，所以也是我們研究社會學、民俗學的材料。

《儀禮》屬於枯燥難懂的書，列舉的是許多儀注，提到各種早不存在的名物禮器，這些分散爲一段一段，既少頭緒、又不貫通的文字，讀起來很費勁。《十三經注疏》收的是鄭玄注、唐・賈公彥疏；乾隆時代的張惠言根據十七篇禮文，編繪了六卷《三禮圖》，有助於理解；清初張爾岐《儀禮鄭注句讀》爲十七篇禮文分段，使之層次清晰；清末胡培翬《儀禮正義》總結歷代注疏，對經文和鄭注作了全面疏解。這些書，都有參考價值。

❖冠禮和婚禮

〈士冠禮〉列爲十七篇之首，表明這種禮儀的重要。古人不到二十歲是不戴帽子的，作爲未成年的標誌。到二十歲成年，舉行加冠禮，並起個字，算是本族的一個正式成員。對本族來說，這是一件喜事：本族增加了一個正式成員；對本人也是一件喜事：人生新階段的開始。這種禮儀活動，起源於原始氏族公社的成丁禮，或叫入社式。氏族公社中的青年，進入成年階段時要連續幾年受到一定的訓練，合格後舉行成丁禮，就成爲公社正式成員，享受成員應享的權利，如參加氏族會議，選舉、罷免酋長等；同時也履行成員的義務，如參加主要生產活動、參加戰鬥等等。貴族社會繼承了這一成丁禮，又把它演變爲冠禮。

據〈士冠禮〉所記，冠禮先以占筮選定加冠吉日，由父或兄主持在宗廟舉行。冠禮前三天，通過占筮選賓（負責加冠的人，一般爲父兄的僚友），選定後一再敦請至取得應允。冠禮進行時，賓給冠者加冠三次。第一次加緇布冠（黑麻布製成的冠），表示從此有治人之權；第二次加弁（用幾塊白鹿皮拼成瓜皮帽），表示從此要服兵役；第三次加爵（讀如雀）弁（用細葛布或絲帛製成的赤中帶黑色的平頂帽），表示從此有參加祭祀之權。每加一次冠，賓都對冠者致祝詞。三次加冠後，主人設酒饌招待賓、贊（賓的助手）等人，稱「禮賓」。禮賓後，冠者入家拜見母親，然後由賓取字（別名），然後依第拜見兄弟、贊者、入室拜見姑姊，然後脫下第三次加冠時所用的衣帽，換上玄色的禮帽禮服，帶著禮品，去拜見國君、鄉大夫、鄉先生（退休居鄉的官員），這種種拜見都是表明冠者已是成人。最後，主人向賓敬酒，贈送禮品，禮成。

又據〈士昏禮〉說：「女子許嫁，笄而禮之，稱字。」這是指古代貴族女子十五歲許嫁時的加笄儀式。笄就是簪。行笄禮時要改變幼年時的髮型，把頭髮綰成一個髻，用纚（黑布）把髮髻包住，然後用簪插定。笄禮也是表示成人的一種儀式，主持者是女性家長，加笄者是女賓。

〈士昏禮〉記述從求親、訂婚到結婚後三月廟見一系列十三個節目的禮儀。古代貴族認爲結婚是生男育女、延續祭祀、下繼後世的大事，所以相當隆重。結爲婚姻要經過六道手續，稱「六禮」：

一、納采：男方家長派媒人到女家獻納采擇之禮，即求親，所獻禮物是雁。

二、問名：男家派媒人持雁爲禮物，詢問女子的名字，女家以酒食款待，問名的目的是便於男家於宗廟問卜婚媾是否吉利可行。

三、納吉：男家獲得吉兆後，派媒人仍持雁爲禮物，告知女家。

四、納徵：又叫納幣，男家送給女家玄纁（紅黑帛五疋）、束帛（淺紅帛五疋）、儷皮（鹿皮兩張）等禮物作爲聘禮，聘禮的厚薄視等級而定，納徵即宣告正式定婚，婚姻關係從而得到社會和法律的認可。

五、請期：男家仍派媒人持雁爲禮物，把決定的迎娶日期徵求女家同意。

六、親迎：新郎親自到女家迎娶新娘。媾婚六禮，除天子不親迎這一項之外，所有的貴族都必須全部遵從。

六禮中除納徵外，其餘五禮都必須持雁爲禮物。《儀禮正義》注說：所以持雁爲禮，「取其隨時南北不失其節，明不奪女子之時也；又取其飛成行，止成列，明嫁娶之禮，長幼有序，不相逾越也。」

親迎的儀式隆重而煩瑣。新郎迎親乘黑漆的車，有人執燭前導，後從車兩輛，準備新娘坐的車。同至女家時，新娘已打扮好立於房中，新娘之父迎於門外，新郎被迎接入女家，獻雁給女家，行禮而出，新娘隨行，父母不送出。新郎親自駕車，請新娘上車，然後由車夫代新郎趕車上路，新郎便乘上自己的車先至家門外等候。等新娘到達時接進門，設宴共食，行合巹禮。巹就是瓢，一個葫蘆分成兩個瓢，各盛酒，各執其一而飲，取夫妻互相敬愛、同體爲一之意。合巹禮後，新人去禮服，新郎入室親手摘下新娘的纓飾，撤出室內燭，婚禮合成。次晨，新娘拜見公婆，獻棗栗（取早立子之意）於公公，獻乾肉於婆婆。拜見公婆和三月廟見，也各有一套禮儀。

以上是指貴族的結婚禮儀，一般庶民往往加以精簡合併變通，變通辦法大致是納采和問名合併，納徵和請期合併，沒有雁時，也可以用家禽或野雞代替。

在兩千餘年的封建社會中，「六禮」婚制基本上延續下來，只是儀節略有增減而已。

❖五服

〈喪服〉是較早記錄喪服制度的專篇，它按照生者與死者親屬關係的親疏，分五等服制，即斬衰、齊衰、大功、小功、緦麻五個等級，稱五服。如在五服之外，就不再是親屬。

斬衰：五服中最重的一種。凡喪服，上衣叫衰（即縗），下衣叫裳。斬衰用最粗的生麻布製作，衣旁和下邊不縫邊。斬就是斬布製喪服，不縫輯，取痛甚之意。諸侯爲天子、臣爲君、子爲父、父爲長子、嗣子爲嗣父都服斬衰。妻妾爲夫，未嫁之女爲父，除服斬衰外，還有喪髻。服斬衰者居喪期是三年，即孔子所說「三年之喪」，而實際是二十五個月。爲父服斬衰的，俗稱「孝子」，其服飾除斬衰外，還有苴絰（粗麻腰帶）、杖（哭喪棒）、絞帶（麻繩）等，苴絰表示對亡父思慕得腸子若結，杖表示哀痛得形銷骨瘦要用杖來支撐身體，麻繩束腰表示瘦得僅用苴経還束不緊。

齊衰：五服中的第二等喪服，齊衰用熟麻布，縫邊整齊。按居喪期分四等：一、齊衰三年，是父已去世而子爲其母、母爲長子的喪服；二、齊衰杖期，杖是喪杖，期爲一年，是父健在而子爲母。夫爲妻的喪服；三、齊衰不杖期，不用喪杖，也爲期一年，是男子爲伯父母、叔父母、兄弟、衆子（長子以外諸子），已嫁女子爲父母、媳婦爲公婆、孫和孫女爲祖父母所服的喪服；四、齊衰三月，爲曾祖父母所服的喪服。

大功：五服中的第三等。用熟麻布，較齊衰所用精細。功，指對喪服布料的處理，大功就是用功粗大。大功服喪九個月。男子爲出嫁的姐妹和姑母，爲從兄弟和未嫁的從姐妹；女子爲丈夫的祖父母、伯叔父母、爲自己的兄弟；公婆爲嫡子之妻，都服大功。

小功：五服中的第四等。用熟麻布，較大功更精細，用功也細小。小功服喪五個月。男子爲從祖祖父、從祖祖母（叔伯祖父母）、從祖父母（堂叔伯父母）、從祖昆弟（同曾祖而不同祖父的兄弟）、從父姐妹（堂姐妹）、外祖父母；女子爲丈夫的姑姐妹，娣姒（兄弟媳婦）；都服小功。

緦麻：五服中最輕的一等。緦是細麻布，喪期三個月。男子爲族曾祖父母、族祖父母，族父母、族兄弟、外孫、外甥、婿、岳父母、舅父，都服緦麻。

五服制度是封建宗法制度的產物。從〈喪服〉中的記述可以明顯地看出：它根據血緣關係把本宗族的人連繫起來，按親疏遠近，組成嚴密的網絡；對外，他們是一體的；對內，他們各有嚴格的等級。五服制度是宗法關係的一個圖表。

在五服制度中，强調嫡長子繼承制。這是宗法制的一個最突出的特點，因爲宗法制是强調嫡長子繼承權的，爲此，〈喪服〉中還規定了「承重」制。爵位和財產由嫡長子繼承，如嫡子已亡，由嫡長孫繼承，非嫡子的其他諸子是不能繼承的。所以〈喪服〉規定由嫡長子承受喪祭與宗廟的重任，祖父母喪亡時，嫡長子先死，由出自嫡長子的嫡長孫承重，稱承重孫；其曾祖父母喪亡時，如祖父及父都先死，由重嫡長孫承重，凡承重者，均服斬衰。承重制是維護宗法制繼承制的重要規定，表現了宗法制內部的不平等關係。

在五服制度中，還强調了婦女的從屬地位。婦女在宗族內的地位較男子低，已嫁和未嫁是不同的，未嫁還屬於本宗族的成員，爲生父母服喪服斬衰，已嫁後雖然與生父母有直接的血緣關係，畢竟已屬於別的家族成員，所以服喪要低一等而服齊衰。男子爲生父母服喪斬衰，爲岳父母服喪卻只服最輕的緦麻；而女子爲公婆卻要服齊衰。這種制度明顯地表明了婦女的從屬地位，公開宣揚男女的不平等關係。

〈喪禮〉中的五服制度，從魏晋到清末，通過立法形式實行，其影響持久而廣泛。

第三節 《禮記》

《禮記》是儒家關於禮學的一部論文集。「記」指對經義的說明、補充和發揮，《禮記》是對《禮經》經義的闡發。它原來並沒有單獨成書，只是附在《儀禮》後面，與《儀禮》一同流傳，《漢書．藝文志》記：「《禮古經》五十六卷，經七十篇，記百三十一篇，七十子後學所記也。」①它原來是依附《儀禮》一書的，是《儀禮》傳習的長期過程中儒家學者寫作的釋經文字。

《禮記》在東漢末獨立成書，到唐代取得儒家「經」書的地位，至明、清兩代，地位越來越高，其影響遠遠超過《周禮》和《儀禮》。南宋朱熹取其中〈大學〉、〈中庸〉兩篇，與《論語》、《孟子》合爲「四書」，爲之作注，廣爲流傳。

《禮記》全文近十萬字，超過《周禮》（四萬五千字）、《儀禮》（五萬字）二書之和；在十三經中，其篇幅僅僅次於《左傳》，所以稱爲「大經」。

❖《大戴禮記》和《小戴禮記》

先秦傳習《儀禮》的同時，也傳授一些說明和補充材料，累世相傳，到西漢，這些文字已經積累不少。據說，到西漢後期，劉向考校書籍時又採集一些，共達二百十四篇。這些文字寫作的時代，早的是在戰國時期，晚的是在西漢後期。它們的作者不可考，有的是從其他書籍節錄的，所以又稱它是「儒學雜編」。《隋書・音樂志上》說：「〈月令〉取《呂氏春秋》；〈中庸〉、〈表記〉、〈坊記〉、〈緇衣〉皆取《子思子》；〈樂記〉取《公孫尼子》；〈檀弓〉殘雜，又非方幅典誥之書也。」又據後人考證：〈王制〉與《孟子》的記述相合；〈三年問〉、〈樂記〉、〈鄉飲酒義〉都與《荀子》中部分文字相同。所以，從《禮記》的內容看，包括思孟學派和荀子學派的著作，其中和荀子學派的關係較為密切。

漢代傳《禮》有戴德、戴聖、慶氏三家，都匯集了說《禮》的論文集。戴德稱為大戴，戴聖是戴德的侄子，稱為小戴。戴德把流傳的論文合為八十五篇，稱《大戴禮記》；戴聖又加以刪輯，為四十六篇，稱《小戴禮記》；《小戴禮記》在東漢末期又由馬融補上三篇，共四十九篇，鄭玄給《小戴禮記》四十九篇作注，使《小戴禮記》廣泛流傳。《十三經注疏》所收即《小戴禮記》，為鄭玄注、孔穎達疏，題名《禮記正義》。

學術界多認爲：鄭玄注很出色，清人注本尚無出其右者。

《大戴禮記》也有傳本，因爲不被學者重視，在流傳的過程中佚失了四十六篇，只保存下來三十九篇。有北周・盧辯的注本，較好的注本還有清・孔廣森的補注。

❖《禮記》篇目分類

《禮記》選輯的四十九篇文章，內容極爲豐富，包括社會觀、人生哲學、政治理想、禮治思想，以及教育、音樂、天文、考據等等，涉及門類比較龐雜。劉向的《別錄》把《禮記》內容分爲八類，較囉嗦；梁啓超又分爲五類，也不盡妥。我們把它分爲四類：一、專釋《儀禮》之屬；二、考述古禮之屬；三、雜記孔子及其弟子思想言行之屬；四、儒家學術論文之屬；當然，對有的文章只能從大體上予以歸類。

一、專釋《儀禮》之屬

這一類篇目最多，是對《儀禮》各篇解釋的專篇文章，闡述制禮的意義和禮治精神，一共有二十一篇。

其中有的是通釋《儀禮》某一篇的，有七篇：〈冠義〉、〈昏義〉、〈鄉飲酒義〉、〈射義〉、

〈燕義〉、〈聘義〉、〈喪服四制〉，分別解釋《儀禮》中的〈士冠禮〉、〈士昏禮〉、〈鄉飲酒禮〉、〈鄉射禮〉和〈大射禮〉、〈燕禮〉、〈聘禮〉、〈喪服〉等篇，類似這些篇的傳注。

其中有的是解釋《儀禮》中某一專題的，有十四篇，其中大多關於喪、祭：〈曾子問〉、〈喪服小記〉、〈喪大記〉、〈奔喪〉、〈問喪〉、〈間傳〉、〈服問〉、〈三年問〉、〈雜記〉上下、〈郊特牲〉、〈祭義〉、〈祭法〉、〈祭統〉。這些篇也都是讀《儀禮》的參考材料。

《儀禮》中言喪事者四篇，《禮記》中言喪事者十篇；《儀禮》中言祭事者三篇，《禮記》中言祭事者四篇。由此也可見對於喪、祭的重視。上章已經說過，喪禮和祭禮要求非常嚴格而細密的等級制度，規定絕對不可逾越，它們對於維護宗法等級制和封建專制制度是十分必要的，所以成爲各種禮制中最重要的禮制，一再加以說明和强調。

〈昏義〉是解釋〈士昏禮〉制定意義的文章，一開始就說明爲什麼要重視婚禮。它說：「昏禮者，將合二姓之好，上以事宗廟，而下以繼後世也。」開章明義，指出婚姻的兩大目的：一個是通過婚姻密切兩個家族之間的聯繫，以姻親的紐帶合好兩個貴族家族，增進彼此的親密關係；一個是保證男方宗廟的祭祀，並向下傳宗接代；因此要用隆重的禮儀來强調這一行動的重大社會意義。在這裡，不是著眼結婚當事人的幸福，而是著眼於宗族的利益。

〈鄉飲酒義〉開章明義說：「鄉飲酒之禮者，所以明長幼之序也。」「所以明養老也，民知尊長養老，而後乃能入孝弟，出尊長養老，而後成教，成教而後國可安也。」實行鄉飲酒禮，是使人尊長養老，在外面能夠尊老養老，在家內自然能夠孝順父母、敬愛兄長，這樣，宗法等級制可以確立，禮教可以通行，封建國家得以鞏固。

專釋《儀禮》的文章，大體上都這樣闡發禮制精神。

二、考述古禮之屬

有些古禮，《儀禮》十七篇未載，這一類文章則記述和考證古禮，共十三篇：〈王制〉、〈禮器〉、〈大傳〉、〈月令〉、〈明堂位〉、〈文王世子〉、〈謀衣〉、〈曲禮〉上下、〈玉藻〉、〈少儀〉、〈內則〉、〈投壺〉。

這些古禮，內容廣泛而雜亂。如〈月令〉是授時頒政的；〈文王世子〉意在爲王子示範；還有許多只是記述日常生活禮節和守則，如〈曲禮〉上下、〈內則〉、〈少儀〉等篇；有的是考述各種禮器用具以及明堂方位的，如〈禮器〉、〈玉藻〉、〈明堂位〉等篇。這些文章瑣細、迂腐、呆板，但對於專業工作者來說，具有一定的考古學價值，也是研究古代宗法制的參考材料。但其中的〈王制〉，較普遍地爲歷代學者所注意。

〈王制〉的內容，同於《孟子》書中的敍述，當是承襲《孟子》之說。如它述爵祿：「王者之制祿爵，公、侯、伯、子、男，凡五等。諸侯之上大夫、卿下大夫、上士、中士、下士，凡五等。天子之田，方千里；公、侯田方百里，伯七十里，子、男五十里，不絕於五十里者，不合於天子，附於諸侯，曰附庸。天子之三公之田，視公、侯；天子之卿，視伯；天子之大夫，視子、男；天子之元士，視附庸。……」這裡所記的三公九卿之制，與《周禮》六卿之制不同，其爵祿也比《周禮》所記少得多。由此可知，它們的記述，都不盡合已行之事實，而是對國家制度的設計方案。

三、雜記孔子及弟子言論之屬

這一類文章記述孔子及其弟子的思想言論，有的就採用問答的形式，或者其中還有記事，敍述些小故事。它們大多是後世孔門弟子託名孔子或其弟子所作。這類文章共八篇：〈仲尼燕居〉、〈孔子閑居〉、〈哀公問〉、〈檀弓〉上下、〈坊記〉、〈喪記〉、〈緇衣〉。

〈檀弓下〉是篇很有意義的文章，它雜記故事，寓以深刻的含義，成為優秀的寓言。世人稱誦的是「苛政猛於虎也」一節。政，就是征；苛政，指繁重的賦役剝削。這節文章記：

「孔子過泰山側，有婦人哭於墓者而哀。夫子式而聽之，使子路問之曰：『子之哭也，壹是重有憂者。』而曰：『然。昔者，吾舅死於虎，吾夫又死焉，今吾子又死焉。』夫子曰：『何為不去也？』曰：『無苛政。』夫子曰：『小子識之，苛政猛於虎也。』」

這段寓言故事，託孔子的名義，宣傳了儒家薄賦歛、省徭役的仁政學說。

「嗟來之食」一節，也是傳誦已久的寓言：

「齊大饑，黔敖為食於路，以待飢者而食之。有餓者，蒙袂輯屨，貿貿然來。黔敖左奉食，右執飲，曰：『嗟，來食！』揚其目而視之，曰：『予唯不食嗟來之食，以至於斯也！』從而謝焉。終不食而死。」

這段寓言故事宣揚儒家的氣節觀念，餓死事小，屈節事大，堅持自己的人格氣節，不接受侮辱性施捨，矜守氣節，重於生命。這種觀念，在中國知識分子中是可貴的精神傳統。

四、學術論文之屬

這一類文章論述了儒家思想的精義，原來編輯時，是作爲附錄的，而在後來流傳時，這些論文的影響卻最大，成爲《禮記》中最有研讀價值的代表作。有幾篇世世代代被作爲教材誦習，並單獨成書。

它們一共七篇，每篇都有中心論題：

〈禮運〉：政治學論文，提出以禮治爲中心的國家政治制度的理想。

〈經解〉：經學論文，分別論述六經的教學目的。

〈樂記〉：文藝學論文，論述音樂的起源和作用及其和「禮」的結合。

〈大學〉：哲學論文，論述儒家「修身齊家治國平天下」的人生哲學。

〈中庸〉：哲學論文，論述儒家的道德準則和思想方法。

〈學記〉：教育學論文，是儒家教育經驗的總結和理論概括，是體系完整的教育學專著。

〈儒行〉：德育論文，論述對儒者品格和行爲的基本要求。

二千餘年來，儒家經典對我們民族意識形態影響最大，其中《禮記》的影響僅次於《論語》，和《孟子》相等，而《禮記》也以這幾篇文章爲精華。我們在下面分別評介幾篇文章。

❖〈禮運〉

〈禮運〉是一篇重要的文章，論說人類社會的發展階段和禮義的起源，總的精神是強調禮義治天下，實現社會的安康和進步。從思想體系來看，淵源於荀子學派，時間大約寫於秦統一中國之後。

文章一開頭，便提出「大同」「小康」說。作者托孔子的口氣，描述理想的大同社會。

大道之行也，天下為公。選賢與能，講信修睦。故人不獨親其親，不獨子其子，使老有所終，壯有所用，幼有所長，矜寡孤獨廢疾者，皆有所養。男有分，女有歸。貨惡其棄於地也，不必藏於己；力惡其不出於身也，不必為己。是故謀閉而不興，盜竊亂賊而不作。故外戶而不閉，是謂大同。

文章認爲，這樣理想的大同社會，其特徵是「天下爲公」。這種「大同」思想，反映了農民小生產者對於遠古沒有壓迫、沒有剝削社會制度的嚮往，虛構出這樣一個美好的烏托邦。文章認爲大同的社會雖然美好，但它是三代以前的事了，已經一去而不復返。「大道」

不再存在。已經進入「天下爲家」的時代。

作者認爲，自從有了私有財產，有了世襲制度，有了國家和戰爭，古代聖王爲了安定社會，建立新的原則來實現「小康」社會。文章仍託孔子的口氣，描述這個小康社會：

今大道既隱，天下為家。各親其親，各子其子，貨力為己。大人世及以為禮，城廓溝池以為固，禮義以為紀，以正君臣，以篤父子，以睦兄弟，以和夫婦，以設制度，以正田里，以賢勇知，以功為己。故謀用是作，而兵由此起。禹、湯、文、武、成王、周公由此其選也。此六君子者，未有不謹於禮者也。以著其義，以考其信，著其過，刑仁講義，示民有常。如有不由此者，在勢者去，眾以為殃，是謂小康。

文章認爲，小康社會就是在私有制和國家出現之後，三代聖王所建立的禮治社會。下面的文字，就大段大段地論述用禮治來確立封建專制制度的必然性，提出大力推行禮治是當務之急，以等級制爲核心的禮既是法制，又是道德原則。

〈禮運〉提出反映小農生產者理想的大同社會，卻不準備去實現；它也找不到一條到達大同之路，「天下爲公」成了一個永遠無法達到的理想。但是這一段關於大同社會的描述，卻吸引了歷代進步思想家的關注，成爲人民嚮往的目標。一直到十九世紀末、二十世紀初，先進的中國人，仍然受到它的鼓舞。康有爲寫了《大同書》，作爲政治改革的最終理想；孫中山提出「天下爲公」、「世界大同」，作爲鼓動革命的口號。

❖〈大學〉

〈大學〉是一篇論述儒家人生哲學的論文，全文十章，共一千五百四十六字。關於它的時代和作者，歷來有不同的說法：朱熹認爲是孔子弟子曾參所作；近人有人認爲是思孟學派的作品；也有人認爲是秦漢之際荀子後學之作。

「大學」原意爲王公貴族子弟的學校，也就是培養統治者的學校，所以又解釋爲「大人之學」。〈大學〉這篇論文，講的是統治者治理天下最根本的學問。

〈大學〉第一章提出：「三綱領八條目」，以下各章是對三綱八目的說明解釋。

所謂三綱領，即統治者治理天下的三條基本原則。文章開宗明義提出：「大學之道，在明明德，在親民，在止於至善。」這是總綱。它把道德修養和治理國家結合爲一體，以統治者個人的道德修養作爲治理天下的根本。分而言之，就是三條綱領：第一，「明明德」，即發揚光輝美好的德行；第二，「親民」，即新民，指教化人民，使人民日新其德，具有新的道德風尚；第三，「止於至善」，止，訓爲「處」或「達」，即處於最完美的境地。這最完美的境地指的是什麼呢？傳文解釋說：「爲人君止於仁，爲人臣止於敬，爲人子止於孝，爲人父止於慈，與國人交止於信。」仁、敬、孝、慈、信就是大人君子所要達到的最高道德標準。能夠處於這個境地，就會「知止而後有定，定而後能靜，靜而後能安，安而後能慮，慮而後能得。」文章認爲：達到至善，則方針明確，心不妄動，所處而安，能夠正確思考和處理事務。

所謂八條目，即實現三條基本原則的八個步驟，即下文所說：「格物而後知至，知至而後意誠，意誠而後心正，心正而後身修，身修而後家齊，家齊而後國治，國治而後天下平。」格物、致知、誠意、正心、修身、齊家、治國、平天下，這就是八條目。

「格物」即推究事物的原理，朱熹注疏說：凡天下事物莫不有其理，當一一求之，用力之久，一旦豁然貫通，即能悟出貫穿全體的大道理。「致知」，就是認識到萬事萬物本來之理。「誠意」的「意」，謂意念，誠意即眞心實意，傳文解釋說：「所謂誠其意者，毋自欺也」，「故君子必愼其獨也。」何謂愼獨？大庭廣衆能夠做到，而個人獨處時，以爲人家看不到，便放大了膽做那不正當之事，這是不行的，所以君子要特別注意個人獨處時的行爲，人前人後都一樣，這叫愼獨。「正心」，傳文解釋說：「心有所忿怒，則不得其正；有所憂患，則不得其正。」正心就是守持儒家的正道，不忿怒，不恐懼，不好樂，不憂患，對種種感情有克制力，防止個人感情和欲望的偏向。「修身」，即修養身心，修身是八條目的中心，這裡指修養的完成。「明明德」是修身之本，提出「君子慎乎德」，慎德就是强調個人的德行。前四個條目都是爲了完成修身，君子有了德行，才能以身作則而齊家，才能愛民治國。「齊家」的家指「家族」，傳文解釋說，齊家就是教化家族能夠做到孝、弟、慈。子女對父母曰孝，兄弟曰弟（悌），父母對子女曰慈。一個家族做到這三點，家風就是仁、讓之風，這就是德。家族是國家組織的細胞，國是放大的家，齊家就可以「治國」。「治國」的「國」，指諸侯之國。傳文認爲，君子治國，不外是修身齊家的道理，「孝者所以事君也，弟者所以事長也，慈者所以使衆也」，在家能孝父母，就能忠事君長；在家敬兄長，就會服從長官；在家慈愛子女，就能治理和愛恤百姓。所以「一家仁，一國興仁，一家讓，一國興讓；一人貪戾，一國作亂……堯舜帥天下以仁，而民從之；桀紂帥天下以暴，而民從之。其所令，反其所好，而民不從。是故君子有諸己而後求諸人，無諸己而後非諸人。」統治者必須以身作則，才能治國。「平天下」的平，即治理。平治天下，是儒家的最高理想，八個條目最後要落實於平天下。

怎樣治國平天下呢？〈大學〉提出了三條原則。

第一，以統治者的德行推己及人。它說：「所謂平天下而治其國者，上老老而民興孝，上長長而民興弟，上恤孤而民不倍，是以君子合絜矩之道也。所惡於上，毋以使下；所惡於下，毋以事上；所惡於前，毋以先後；所惡於後，毋以從前；所惡於右，毋以交於左；所惡於左，毋以交於右。此之謂絜矩之道。」所以它又說：「是故君子先愼乎德」，「未有上好仁而下不好義者也，未有好義其事不終者也。」起決定作用的是統治者的德行。

第二，仁德愛民，以民爲本。傳文說，統治者要像愛護子女一樣愛護百姓，「民之所好，好之；民之所惡，惡之；此之謂民之父母。」它明確指出：「得衆則得國，失衆則失國。」爲什麼呢？因爲「有德此有人，有人此有土，有土此有財，有財此有用。」這意思是說，統治者仁德才有羣衆，有羣衆才有農業生產，有農業生產才有財貨，有財物才有官府和國家的用度；很清楚地說明國家依靠羣衆來供養，治理國家必須以民爲本。

第三，薄賦斂。文章明確指出：「財聚則民散，財散則民聚」，聚斂財富就會使人民離散，把財富分散在民間，人民就會擁護。人民是立國之本，所以，「仁者以財發身，不仁者以身發財，國不以利爲利，以義爲利也。」仁者使用財物來發展自己的事業，不仁者才使用心機求自己發財，國家不能把財物看作利，而要把仁義看作利。這些主張，都是要求對人民減輕賦稅，取得國家的長治久安。

〈大學〉是儒家的人生哲學。它的人生觀是入世的、積極進取的，把儒家的道德理想和政治理想作爲個人修養和積極奮鬥的目標，爭取建立一個開明的封建社會。這個人生觀，首先要求努力修養達到個人道德的自我完善，以此爲基礎，修身、齊家，進而承擔起治國、平天下的社會責任。這曾經是封建社會世代知識分子大多信奉的人生哲學。

道德理想和政治理想是有時代性的，〈大學〉的三綱八目有其具體的時代內容，其「明德」和「至善」的內容就是封建主義的政治觀念和倫理思想，並用以教化人民，協調封建社會的社會關係，從而鞏固封建統治。

在修養問題上，所謂格物、致知、誠意、正心，其所格之「物」，所致之「知」，顯然是指社會的政治和倫理，並把這種封建的政治和倫理思想與個人的「意」和「心」融合一體；防止和杜絕個人一切不符合封建政治和倫理觀念的思想感情活動。這裡的「物」、「知」、「意」、「心」都是先驗的。理學家朱熹就特別重視〈大學〉這一段，而著重予以發揮。他的「存天理去人欲」之說以及先驗論實踐的修養論，就是以〈大學〉的原則爲指南。

〈大學〉還繼承了孔子的仁政學說和孟子的民本學說，以之作爲治國平天下的根本原則。〈大學〉對這一原則的實質作了清楚的發揮。

〈大學〉裡的統治者自命爲「君父」、「尊長」、「民之父母」，而要求人民「事君以忠」、「事長以敬」，而統治者則像父母愛護子女一樣施惠於民。他們的「愛民」，所謂「不暴戾」、「薄賦斂」，目的是保護生產力，讓人民獲得生存的條件，才能夠生產，才能夠防止社會矛盾激化，從而維持其本身生存以及鞏固其統治。

❖〈中庸〉

〈中庸〉也是談人生哲學的，是〈大學〉的姐妹篇。全文三十三章，比〈大學〉長得多。〈中庸〉的作者是誰，說法不一。儒家說是孔子的孫子子思所作。從而宣傳此文得自孔子嫡傳，所以深得孔門精義，是思孟學派的代表作；又有學者認爲，文中的「今天下車同軌，書同文、行同倫」，分明是秦統一後的景象，故此文不可能成篇在秦統一之前，也有的學者認爲這個理由並不能成立。二說至今尚未統一。

全文內容可分五個部分：一、對中庸涵義的解釋；二、五倫三德；三、正己與忠恕；四、三重九經；五、誠。分別作如下簡介。

一、中庸的涵義

何謂中庸？「中庸」二字的字義，程頤解釋說：「不偏之謂中，不易之謂庸。」朱熹釋

「庸」爲「平常」、爲「用」；凡事取其中，爲不易（變）之常道，就是中庸。

「致中和」是中庸之道的精髓。何謂「中和」之「中」？「喜怒哀樂未發謂之中。」喜怒哀樂是感情欲望的不同表現，這些感情欲望未發生時，心理處於寧靜狀態。何謂「中和」之「和」？「發而皆中節謂之和」。節指節度。喜怒哀樂各種感情欲望發生了而自然而然地合於禮節，這就是中和。〈中庸〉說：「中也者，天下之大本也；和也者，天下之達道也。致中和，天地位焉，萬物齊焉。」達到中和，是〈中庸〉對人的感情欲望的基本要求。孔子在《論語》裡說：「中庸之爲德也，君子而時中；小人之反中庸也，小人而無忌憚也。」致中和，就是要求人的感情欲望和行爲自然地符合儒家的道德原則。

「執其兩端用其中」，是中庸之道對待矛盾事物的態度和方法。第十章以子路問「强」爲例，孔子說：南方人的强，寬大敎人不報復；北方人的强，勇猛無畏。二者都有可取之處，又都有偏頗；中庸之道是介乎二者之間，把二者結合起來，既吸收南方人之柔强，又吸收北方人之剛强，形成柔剛混成一體之强。

中庸之道又反對「素隱行怪」。「素」是尋求，「隱」是隱僻，指人人所不了解、沒接觸過的道理；「行怪」指行爲與衆不同、與傳統不同，即行爲怪異。反對素隱行怪，就要求行爲與衆相同；合於常規。但這樣，就沒有革新，沒有先進，因爲一切革新的、先進的言行，無疑都是反成規，反傳統的，也就都屬於素隱行怪之列。中庸之道强調「君子無入而不自得焉」，這是要求不論到了什麼境地都安然自得，目前是什麼狀況，就安於什麼狀態，不羨慕分外的東西。

留有餘地，過猶不及，是中庸之道的又一原則。第十三章說：「庸德之行，庸言之謹，有所不足，不敢不勉，有餘不敢盡，言顧行，行顧言。」實踐大家都遵守的道德，尊重大家的意見，做的不夠，決不能不努力，但又一定要留有餘地，說話要考慮能不能做到，做時又要考慮到怎麼說的。文章又引述孔子曰：「道之不行也，知者過之，愚者不及也；道之不明也，我知之矣，賢者過之，不肖者不及也。」孔子認爲，中庸之道是不容易做到的，不是過，就是不及，過與不及都不好。主張眞正持其中，不過，也不及；不及，還可以努力再做，過了，就不好辦了。

二、五倫三德

〈中庸〉開頭三句話是：「天命之謂性，率性之謂道，修道之謂教。」這三句是說，人的本性是上天給予的，順應和發揚人的本性就是道，使人們推廣和遵循天賦之道，就是教化。那麼，這裡所說的天賦的人的本性是什麼呢？傳文說：「天下之達道五，所以行之者三，曰君臣也，父子也，夫婦也，昆弟也，朋友之交也。五者天下之達道也。知、仁、勇三者，天下之達德也。可以行之者一也。」

〈中庸〉所說的「天下之達道」，就是君臣、父子、夫婦、兄弟、朋友五種倫理關係；《孟子》解釋這五倫關係是「父子有親、君臣有義、夫婦有別、長幼有序、朋友有信」。〈中庸〉認為，親親、忠君、夫婦之別、兄弟間之友悌、朋友間之信義，都源出於人的本性，而實行和發揚這五倫道德規範，靠智、仁、勇三種道德情操；要具備這三種道德情操，就靠修身。「好學近乎知，力行近乎仁，知恥近乎勇。知斯三者，則知所以修身。」通過修身，就可以有智而聰明有知識，有仁而仁德愛人，有勇而勇敢無畏；用它們去實行五倫大道，就可以治天下。

三、正己與忠恕

如何修身，〈中庸〉認為從忠恕開始。何謂「忠恕」？傳文明確指出：「施諸己而不願，亦勿施於人也。以所求乎子者事父，所求乎臣者事君，所求乎弟者事兄，所求於朋友者先施之於朋友。」忠恕就是推己及人，這是修齊治平的要道。

行忠恕，必先正己，「凡事豫則立，不豫則廢」，齊家治國平天下要以修身為本。歸結到底，「爲政在人」，國家的治亂，決定於爲政者的道德修養。

四、三重九經

如何治天下？〈中庸〉提出：「王天下有三重焉，其寡過亦乎？」哪三件大事？〈中庸〉說：「非天子不議禮，不制度，不考文。」議禮是議定禮樂，制度是制定法度，考文是考訂文字；只有由天子才能做這三件事，實現「車同軌、書同文、行同倫」。

〈中庸〉又提出王者統治天下的「九經」，即九條原則：「凡爲天下國家有九經，曰修身也，尊賢也，親親也，敬大臣也，體羣臣也，子庶民也，來百工也，柔遠人也，懷諸侯也。」原文分別作了解釋。修身：即樹立崇高的道德，處處合於禮儀，如此「則道立」。尊賢：擯除讒人，遠離女色，輕財而重德，尊重有才能的人，逢事「則不惑」。親親：家族和諧，加爵加祿，同其好惡，「則諸父母兄弟不怨」。敬大臣：「則不眩」，給予任用部屬之權。體羣臣：體恤士，獎勵加俸，士就會報答恩德。來百工：獎勵各種技工，日省月試，計量付糧，如此「則財用足」。柔遠人：優待遠來賓客，來者歡迎，去者歡送，「則四方歸（附）」。懷諸侯：安撫各國諸侯，「繼絕世，舉廢國，治亂扶危，朝聘以時，厚往而薄來，「則天下畏（服）」。三重九經，實際是統治者統治經驗的總結。

〈中庸〉反復論述人人具有天賦的道德觀念，這天賦的道德觀念與人的本性是一致的，又天然地與封建社會的倫理秩序一體。如何才能發揚本性中的天賦道德呢？〈中庸〉指出，主要在一個「誠」字：「惟天下至誠爲能盡其性」。

五、誠

「誠」是儒家提出的一個哲學範疇，意爲信實無欺或眞實無妄。〈中庸〉說：「誠者天之道也，誠之者人之道也。」這是說：「誠」是天的根本法則，努力達到「誠」的境界是爲人之道。它認爲爲人達到「誠」的精神境界，則「不勉而中，不思而得，從容中道，聖人也」。它又說：「誠者，物之終始，不誠無物」，意思是，「誠」貫穿萬物的始終，沒有「誠」就沒有萬物。

〈中庸〉宣揚人應該不斷地進行道德修養，追求達到「至誠」的精神境界，「至誠」的作用有四：一、「至誠」能發揚人的全部的善良本性，從而發揚所有的人和萬物的本性，「贊天地之化育」；二、「至誠」則「明」、則「智」，有了「誠」，可以明察事理，可以具有智慧，達到博厚而高明，從而「經綸天下之大經」，「立天下之大本」。三、「至誠之道，可以前知」，它說：「國家將興，必有禎祥；國家將亡，必有妖孽。見乎蓍龜，動乎四體。

禍福將至，善，必先知之；不善，必先知之。故至誠如神。」這是說，心誠如神靈，通過卜筮和人的儀容、動作可以預知吉凶。〈中庸〉無限地誇大了「誠」這一主觀精神意念的作用，這個命題，後來被程朱理學所繼承和發揮。

〈中庸〉把個人道德修養作爲政治成敗之本，把孔子的人治思想大大發展了，由完善個人道德的修身外延和擴大爲治國，但這並沒有抓住政治的本質，依靠統治者個人道德完善來實現國泰民安，是不切實際的空談。

❖〈學記〉

〈學記〉是我國和世界第一部體系嚴整的教育專著，其寫作時代大約在戰國後期，是思孟學派的作品。據郭沫若考證，作者是孟子的學生樂正克，但有的學者持不同看法，認爲郭論不對。

〈學記〉是先秦儒家學派教育經驗的總結和理論概括，系統而全面地闡明教育目的和教學制度，教學的原則和方法，教師的地位和作用，師生關係與同學關係等問題。

一、教育目的和教學制度

〈學記〉開始就提出:「玉不琢,不成器;人不學,不知道。是故古之王者,建國君民,教學爲先。」文章以玉不琢不成器,譬喻人不學不明道,說明教育是培養人的手段。這裡的「道」,指封建政治倫理道德規範,所要培養的是封建統治所需要的人才,因此,教育是統治者建立國家、統治人民的第一要務。

爲此,〈學記〉設計了從社會基層到中央的完整的教育體制:「家有塾」,「家」指最基本的社會組織單位家族,設塾;「黨有庠」,「黨」是五百家組成的行政基層組織,設庠;「術有序」,「術」即「遂」,是一萬二千五百家組成的行政區域組織,設序;「國有學」,國都設大學。由基層到中央,層層有學校,規定了嚴密的視導和考核制度。

學制全程規定九年,分「小成」和「大成」兩個大階段。每年招收新生入學(「比年入學」),每隔一年考查一次(「中年考校」)。在大學,一年查考「離經辨志」(「離經指讀經能斷句」),三年查考「敬業樂羣」,五年考查「博學親師」,七年考查「論學取友」,九年考查「知類通達」。七年考查合格稱小成,九年考查合格稱大成。達到大成,就「足以化民易俗,近者說服而遠者懷之」了。

從考查的內容也可以看出，〈學記〉提出的教育，不僅僅著重於智育，而且著重於德育。「辨志」、「樂羣」、「親師」、「取友」都屬於德育，而且在「離經」、「博習」、「論學」之中既然以儒家經典爲知識學習的內容，其中也包含著德育。〈學記〉是把智育和德育結合起來的。同時，〈學記〉也强調詩、樂的教學和實踐，也是注意到美育的。所以，〈學記〉的教育原則不是單純的知識教學，而是德、智、美相結合的教育，培育全面發展的人才。

二、教學原則和方法

〈學記〉以較多的篇幅論述教學的原則和方法。這一部分是儒家長期的正反兩面教學經驗的總結和理論概括，這些經驗符合教學的客觀規律，具有寶貴的價值。擇要有以下幾點：

㈠**學習實踐結合**：它提出「時教必有正業，退息必有居學」，「不學操縵，不能安弦；不學博依，不能安詩；不學雜服，不能安禮；不興其藝，不能樂學。」主張課本學習和實際訓練相結合。

㈡**教學相長**：〈學記〉總結出「學然後知不足」，只有通過學習和實踐才能看到自己在學術上的差距；「教然後知困」，只有通過教的實踐，才能看到自己知識和經驗的貧乏。因而學的人會更加鞭策自己努力學習；教的人會更加鞭策充實自己，努力提高教學。通過教學活動可以「教學相長」，即「敎」和「學」兩個方面相互聯繫，相互制約，相互促進。

㈢啓發式教學：〈學記〉反對灌注式教學，它認爲讓學生死記硬背不能調動學生學習的積極性，也達不到預期的教學效果。它强調「君子之教，喻也」，喻就是啓發誘導。它說：「道而弗牽，强而弗抑，開而弗達」，意思是對學生是引導而不是牽著，是激勵而不是壓制，是啓發而不代替做結論。它認爲這樣做就能激發學生的學習積極性，培養學生獨立思考能力。爲此，教師在教學過程中要講究教學技巧，如講解內容要扼要明確，精闢得體，富於啓迪，運用問答法而且要「善問」、「善待問」，促使學生動腦筋，盡量發揮他們的智力。要進行啓發式教學，就要注意激發學生的學習熱情，端正學習態度，樹立堅毅的志向。

㈣循序漸進：〈學記〉强調「學不躐等」、「當其可」、「不陵節而施」，意思是不超越學生的接受水平，根據學生的實際程度，一節一節地循序而進。它舉出生動的比喻：「良冶之子，必學爲裘；良弓之子，必學爲箕；始駕者反之，車在馬前。」好鐵匠教他的兒子必先學會補綴皮衣，好弓匠教他的兒子必先學會編簸箕，初學駕車的小馬要反過來跟在車後走；因此教學也要「先其易者，後其節目」，一步步由淺入深，由易到難，由簡單到複雜。

㈤因材施教：〈學記〉還重視對學生進行具體了解，根據每個學生的優點和缺點進行教育。「學者有四失，教者必知之：人之學也，或失則多，或失則寡，或失則易，或失則止。

此四者，心之莫同也，知其心然後能救其失也。教也者，長善而救其失者也。」意思是教師要了解學生在學習上通常會有四種缺點，有的貪多，有的求少，有的看得太易，有的半途而廢，所以如此，是他們的思想不同，了解他們的思想才能補救他們的缺點。教師的作用，就是發揚他們的長處，矯正他們的缺點。

㈥**禁於未發**：〈學記〉主張把學生的不良行爲消滅在萌芽狀態，就不會發生不良行爲，即「禁於未發之謂豫」、「發然後禁，則扞格而不勝」，等不良行爲發生之後再去禁止，就會扞格難入，不易收到效果了。

這些教學原則和方法，反映了教育和教學的客觀規律，到現在還是有積極意義的。

三、教師的地位和作用

〈學記〉賦於教師以崇高的地位，這由於教師對國家和社會有著重要作用。它說：「凡學之道，嚴師爲難。師嚴而後道尊，道尊然後民知敬學。」尊師，因爲師是「道」的傳播者，尊師才能尊重師所講之「道」，所以尊師就是尊「道」，尊「道」才能教化萬民。「師也者，所以學爲長，學爲君」，師是培養官長和君王的。它說天子只把兩種人不作臣下看待，一種是祭祀時作爲神的代表的「尸」，一種就是師，天子對待教師是「不北面」的。「師道尊嚴」一直為古代教育所提倡。

教師既有這樣崇高的地位，〈學記〉也對教師提出嚴格的要求。教師為了完成傳「道」的任務，要有堅實的知識積累和熟練的教學技巧。「記問之學，不足以為人師」，僅僅能回答學生的問題，是不配作教師的，「能博喻，然後能為師」，能夠多方面啓發誘導學生，才能做教師。作一個好教師，還要善於經常檢查和總結教學成功和失敗的經驗教訓，不斷地改進教學，「君子既知教之所由興，又知教之所由廢，然後可以為人師也。」所以，它又說：「是故擇師不可不愼也。」

在〈學記〉中，師生之間的關係是傳道和受業的關係，是教學相長的關係，是尊師和教師克盡職責的關係。

另外，〈學記〉也重視在學習過程中同學間可以「相視而善」，取長補短；如果一個人「獨學而無友」，則「孤陋而寡聞」，但又要注意防止其不良的交往，「燕朋逆其師，燕辟廢其學」，沈緬於交遊會違背師教，放蕩遊樂會荒廢學業。這些見解，也是不錯的。

〈學記〉雖然是封建社會的教育理論，但它是從長期教學實踐中總結出來的，不少內容反映了教育和教學的客觀規律，是我們一份寶貴的教育理論遺產。

❖〈樂記〉

〈樂記〉的作者和成書時間，諸說不一。郭沫若說是孔子弟子公孫尼子所作②，這是聽信了唐代以前的訛傳。清人汪中說是荀子所傳，也不合事實。也有人說是思孟學派所作，或說是東漢儒者所作，都缺乏根據。還是《漢書．藝文志》的說法較爲可信：「武帝時河間獻王好儒，與毛生等共採《周官》及諸子言樂事者以作〈樂記〉。」這裡說的是漢武帝時衆儒雜採先秦舊籍編纂而成，證之《史記．樂書》，內容與〈樂記〉基本相同，當是司馬遷利用當時已成書的〈樂記〉。《史記》是成書於武帝後期的，可證〈樂記〉成書於武帝前期。

把〈樂記〉與荀子〈樂論〉相比較，幾個篇章的一些段落，幾乎完全一樣。關於音樂的教化作用，音樂與時代的關係，尊崇雅頌之樂，提倡中和之音，反對鄭衛之聲，這些論點甚至文字，二者也是一致的，只是〈樂記〉發揮得更爲充實和明確，有的删減，有的補充，而且論述了〈樂論〉未曾接觸的一些問題。這說明〈樂記〉是以〈樂論〉爲底本，比較系統地匯編了先秦以來儒家音樂理論的資料，又吸取了其他學派的部分理論，結合長期的文藝實踐，增添了〈樂論〉中未曾論述的一些內容，發展了儒家的文藝理論。

〈樂記〉在政治內容上最突出的地方，是它力圖適應西漢時代的政治要求，表現出明顯的時代色彩，體現了西漢統治集團對儒學的改造。西漢統治階級一方面提倡「獨尊儒術」，大談仁義禮樂；一方面又儒法並行，兼採黃老，禮樂刑政並用。〈樂記〉的全部章節，除了貫穿原始儒學的仁義學說和倫理道德，又突出地發揮荀子的禮樂結合思想，强調禮樂爲封建等級制度服務，它發揮的深度，强調的程度，都大大超過了荀子。同時它又宣揚「法治」：「故禮以導其志，樂以和其聲，政以壹其行，刑以防其奸，禮樂刑政，其極一也，所以同民心而出治道也。……禮樂刑政四達而不悖，則王道備矣。」（〈樂本〉）西漢統治者提倡「揖讓而治天下」，其目的是爲了培養順民，防止暴亂，〈樂記〉對〈樂論〉中關於音樂可以激揚戰鬥精神、奮發征誅意氣等內容，就全部刪除。〈樂記〉中還夾雜一些神祕主義色彩，這是西漢經學吸取陰陽五行說而趨向神學化的表現。〈樂記〉的一部分內容是迎合西漢統治集團政治需要的。

在文藝理論問題上，〈樂記〉有值得注意的內容。

一是物感說。〈樂本〉章說：「樂者，音之所由生也，其本在人心之感於物也。」這裡强調音樂是抒發內心感情的產物，而內心感情的產生是由於外物的激發。它列舉人們的哀、樂、喜、怒、敬、愛六種感情產生六種不同的音調，人們有什麼樣的感情，就產生什麼樣的音樂。「六者非性也，感於物而後動」，「是故先王愼所以感之者」，提出必須重視客觀環境對創作的決定性影響。

二是文藝與時代和政治的關係。文藝既然是對現實感受的反映，那麼，社會的治亂、國家的興衰，必然反映在作品中。〈樂本〉說：「是故治世之音安以樂，其政和；亂世之音怨以怒，其政乖；亡國之音哀以思，其民困。聲音之道，與政通矣。」這裡提出的「審樂以知政」和「聲音之道與政通」的理論，是對孔子「詩可以觀」觀點的深入發揮，《毛詩序》也引錄了這一段。

三是文藝的眞實性問題。〈樂象〉章還提出一個重要論點：「是故情深而文明，氣盛而化神，和順居中，而英華發外，唯樂不可以爲僞。」音樂是人的感情的自然流露，「凡音之起，由人心生」，內心醜惡的人寫不出具有美好情操的作品，內心悲傷的人唱不出歡樂的歌，勉強唱時也帶哭聲，「爲僞」——弄虛作假，決難成眞。「唯樂不可以爲僞」這一命題，概括了一切眞正的文藝作品的一個根本共同點：眞正的詩和樂，所表達的感情必須是眞實的。

〈樂記〉概括了經過長期發展的儒家文藝思想，又在長期的文藝論爭之後，雜採諸家之說予以充實和提高，適應了封建統治階級的政治需要。

注釋

①據錢大昭《漢書辨疑》：「七十篇」當係「十七篇」之誤；又據錢大昕《漢書考異》記百三十一篇係合《大戴禮記》、《小戴禮記》之數。

②郭沫若《公孫尼子與其音樂理論》，《郭沫若全集・歷史編》第一卷。

推薦閱讀書目

・《周禮注疏》 鄭玄注賈公彥疏，《十三經注疏》本。
・《周禮正義》 孫詒讓撰，《四部備要》本。
・《周禮今注今譯》 林尹撰，台灣商務印書館一九七二年九月。
・《周禮的政治制度和經濟制度》 李普國撰，中州古籍出版社，一九八七年本。
・《儀禮注疏》 鄭玄注賈公彥疏，《十三經注疏》本。
・《儀禮鄭注句讀》 張爾岐撰，乾隆癸亥刻本。
・《儀禮正義》（點校本） 胡培翬撰，江蘇古籍出版社一九九三年七月。
・《禮記正義》 鄭玄注孔穎達疏，《十三經注疏》本。

- 《禮記今註今譯》　王夢鷗撰，台灣商務印書館一九八四年一月修訂本。
- 《三禮辭典》　錢玄、錢興奇編著，江蘇古籍出版社一九九三年三月。
- 《學記評注》　高時良撰，人民教育出版社一九八二年本。
- 《先秦政治思想史》有關章節　劉澤華撰，南開大學出版社，一九八四年本。

第6章 《春秋》三傳

十三經中第七、八、九三部是《春秋左氏傳》、《春秋公羊傳》、《春秋穀梁傳》，它們是《春秋》經的三部解說的書。稱爲《春秋》三傳。

學習三傳，不能不先了解《春秋》經。

第一節 《春秋》

《春秋》是儒家原來的五經之一，是現存中國第一部編年體史書。它本來是魯國歷代史官的記事，在春秋末年，已經殘缺不全。孔子搜集整理加以修訂，當作他那個時代的近現代史教材傳授給學生，以後便被當作儒家的經典流傳下來。全書一萬六千餘字，原來是獨立成書的。因爲它的文字簡約難明，在以後的流傳過程中出現了諸家的傳記，並且將經文和傳記合編在一起，經文便不再單獨成書。

❖《春秋》解題

這部編年體史書爲什麼取名「春秋」呢？諸說不一，主要有三種說法：

第一種說法：古制「賞以春夏，刑以秋冬」，各取一字，以示賞、刑，寓褒貶於其中；又《公羊傳疏》引《三統曆》曰：「春爲陽中，萬物以生；秋爲陰中，萬物以成。」和上面的意思類似。

第二種說法：取自孔子著書的時間。《公羊傳疏》又引《春秋說》曰：孔子於「哀公十四年春，西狩獲麟，作《春秋》，九月成書，以其春作秋成，故云《春秋》。」

第三種說法：《春秋》本是魯國史記的名稱。杜預《春秋左氏傳序》曰：「春秋者，魯史記之名也。記事者，以事繫日，以日繫月，以月繫時，以時繫年，所以記遠近，別同異也。故史之所記，必表年以首事。年有四時，故錯舉以爲所記之名也。」這是說，所以取這個名稱，是以「春秋」二字代表四季，古代史書無非記載一年四季大事，所以使用這二字作史書之名。

以上諸說，第三種說法是較可信的。從先秦古籍看，一年四季中最重春秋二季，如《周禮・地官・州長》、《左傳・僖公十二年》所記，都以春秋爲朝聘時節，或聚會時節，故以春秋代表一年；如《詩經・魯頌・閟宮》：「春秋匪解，享祀不忒」也是明證。所以以「春秋」命名史記，就表示是逐年記載四季之事。當時，不止一國的史記以「春秋」命名，如《墨子・明鬼》說：「周之《春秋》、燕之《春秋》、宋之《春秋》、齊之《春秋》……吾見百國《春秋》。」可見，它是各國史記的通名；但也有的不叫《春秋》而另有名稱，如《孟子・離婁下》：「晋之《乘》、楚之《檮杌》、魯之《春秋》，一也。」可見當時確實有的國家的史記叫《春秋》。可是現在流傳下來的，只有魯《春秋》，它就成爲魯國史記的專名。我們現在談《春秋》，指的就是魯國歷代史官逐年逐季逐月的記事。

明確了《春秋》是魯國歷代史官逐年逐季逐月的大事記，不言而喻，它原來的作者就是那些魯國的史官。

過去，卻傳說孔子作《春秋》，那麼，孔子和《春秋》是什麼關係呢？

孔子作《春秋》之說，初見於《孟子・滕文公》：「世衰道微，邪說暴行有作；臣弑其君者有之，子弑其父者有之。孔子懼，作《春秋》。」又曰：「孔子成《春秋》而亂臣賊子懼。」

《史記．孔子世家》也說：「孔子曰：『弗乎！弗乎！君子病沒世而名不稱焉；吾道不行矣！吾何以自見於後世哉？』乃因史記，作《春秋》，上至隱公，下迄哀公十四年，十二公。」漢儒的著述對這個說法都沒有疑議。《公羊傳疏》還引閔因序曰：「孔子受端門之教，制《春秋》之義，使子夏求周史記，得周二十國寶書。」蘇軾《春秋列國圖說》列舉見於《春秋》經傳者凡二十四國。這又說明孔子除「因魯史記」，還搜集和參考了其他國的一些史册。我們可以認爲，孔子依據魯史記，也參考了當時所能見到的別國史記；但從全書體例看，仍是以魯史記爲本，按魯國紀元及十二公年次爲序，作了一番整理修訂的工作。古時學者還曾爭論過孔子作於何時。《左傳》以爲「魯哀公十一年，夫子自衞返魯，十二年，告老，遂作《春秋》，至十四年，經成。」；又說「孔子作《春秋》，文成致麟，麟感而至。」《公羊傳》則說孔子於哀公十四年春獲麟後動筆，至秋九月完成。獲麟之事本屬渺渺，這樣的爭論沒有多大意義；至於說「麟感而至」，則屬於迷信，可不予具論。我們認爲：上面所說的孔子「作《春秋》」，或「修《春秋》」，都是指孔子對魯國《春秋》史記進行過一番整理修訂的工作，這二百四十年中的記事一千八百多條，文字不連貫，是一個人創作不出來的，只能是整理訂定。

近人錢玄同以「疑古」著稱，提出「孔子與六經無關」說，其中，認爲孔子對《春秋》既不曾作，也不曾修，《春秋》只是原來的「斷爛朝報」或「流水賬簿」，「最不成東西」

（《古史辨》第一册）。這個說法未免偏激、武斷。從《春秋》經文本身來看，其文字的簡約、選詞斟句義例的一致、政治態度的鮮明和一致，也是對文字進行過統一加工方可以達到的；說孔子「筆削《春秋》」，是有一定道理的。近來仍有學者認爲孔子未曾作也未曾修①，這個問題仍再研究。

❖《春秋》的時代和史料價值

《春秋》記事起於魯隱公元年（西元前七二二年），到魯哀公十四年（西元前四八一年）歷隱、桓、莊、閔、僖、文、宣、成、襄、昭、定、哀十二公，共二四二年間的大事。中國歷史分期，把這個時代定爲春秋時代。

這個時代的特點，是周王室衰微，諸侯爭霸。

《春秋》這本書，用的是魯國紀元，所記的卻是這一社會變革時期的各國之事。它記載的事實基本是原始記錄，所以是可信的史實。這從以下三點可以證明：

一、從所記的日蝕和其他天象來驗證，《春秋》所記日蝕共三十六次，其中一次誤記、一次錯簡，其餘三十四次有三十三次用現代科學方法推算是符合實際的；這是古人根本無法僞造的。其中莊公七年所記「星隕如雨」，是西元前六八七年三月十六日發生的天琴星座流星雨，這是世界上最早的一次記載。

二、以魏國史書《竹書紀年》互相印證，兩者所記，多有相合。

三、從青銅器銘文和若干出土錢幣等古文物來印證，也多有相合。

由此可以證明，《春秋》所記二百四十二年間的各國大事是可信的史料。

不過，這些史料殘缺不全，或過於簡約。據前人考證，二百四十二年間從魯都曲阜可見日蝕六十多次，《春秋》僅記三十多次；魯十二公，所記女公子出嫁僅七次，有兩位女公子只記來歸未記出嫁，可見確有漏載。據說《春秋》原有一萬八千字，三國時期以後脫漏了一千餘字的內容，僅存一萬六千餘字。所以，王安石譏《春秋》是「斷爛朝報」，指它早已殘缺不全。

《春秋》的記事是粗線條的，文字過於簡約，而且斷斷續續。記一件事，往往只是寥寥幾字，如莊公二十六年經：「曹殺其大夫。」僖公十五年經：「宋殺其大夫。」究竟殺人者是誰？被殺者又是誰？因何殺，又如何殺？都不清楚，所以，杜預注：「其事未具聞。」《春秋》中一千八百多條記事，最長的一段四十五字，最短的一段中只有一個字。這類記事，如不加以說明解釋，有的記了等於沒記。

正因爲《春秋》經不易明瞭，於是傳授者必須加以解釋。不同的人傳授，有不同的傳。據

《漢書・藝文志》，漢代《春秋》之傳有五家：《左氏傳》三十卷、《公羊傳》十一卷、《穀梁傳》十一卷、《鄒氏傳》十一卷、《夾氏傳》十一卷；《鄒氏傳》和《夾氏傳》因無師傳授而失傳，現僅存三傳。

❖《春秋》大義和《春秋》筆法

《史記・太史公自序》說：「周道衰廢，孔子爲司寇，諸侯害之，大夫壅之。孔子知言之不用，道之不行也，是非二百四十二年之中，以爲天下儀表，貶天子，退諸侯，討大夫，以達王事而已矣。子曰：『我欲載之空言，不如見之行事之深切著明也。』」又引壺遂曰：「孔子之時，上無明君，下不得任用，故作《春秋》，垂空文以斷禮義，當一王之法。」這些話的意思是說，孔子的政治主張在現實中不能實現，便把政治主張寄寓在他所修訂的《春秋》之中，用來表達他治理天下的法則。過去的學者都認爲，《春秋》這部書寄寓著孔子最主要的政治思想，即《春秋》大義。《春秋》大義是什麼呢？

一是正名。《春秋》大義以正名爲本。何謂「正名」？正是定正，名是名分，是確立封建等級制度的政治倫理學說。爲政必先正名，「名不正則言不順，言不順則事不成，事不成則禮樂不興，禮樂不興則刑罰不中，刑罰不中則民無所措手足。」②正名的要求是「君君、臣臣、父父、子子」，君有君的本分，臣有臣的本分，父有父的本分，子有子的本分。各個等級的人各守本分，就可以維護封建社會的等級制度和倫理關係。以下犯上是不行的，臣殺君，子殺父，是亂臣賊子，《春秋》中一律寫作「弒君」、「弒父」；反之，殺掉亂臣賊子，一律寫作「誅」。吳、楚之君自稱王，《春秋》以爲僭，則改稱爲「子」。踐土之會是諸侯把周王召了去的，這有悖名分，《春秋》改寫作「天王狩其河陽」，因爲寫成周王出狩才正名。又如王死曰「崩」，諸侯死曰「薨」等等。《春秋》全書貫穿著這種「正名」思想。所以，正名就是正名字、定名分，《春秋》通過正名寄寓褒貶，褒忠孝仁義，貶亂臣賊子，從而維護封建綱常。

二是尊王攘夷。在正名的基礎上，明確地突出尊崇周王，承認周王是中國的共主，有統治各諸侯國之權；只有尊王，才能使中國有鞏固統一的中央政府，才能對全國實行有效的統治。攘夷的「夷」，指當時中國四周各游牧部族。從西周開始，各游牧部族時常前來武裝侵擾，搶掠財物和人口，西周王朝就是被犬戎攻滅的，是周人歷史上的一次大浩劫。當時周朝的生產力和文化發展水平和各游牧部族的落後水平相比，是比較先進的，攘夷的本來含義就是抵抗落後的野蠻部族的侵擾。《公羊傳》曰：「夷狄也，而亟病中國，南夷與北狄交中國，不絕若線。桓公救中國而攘夷狄。」在當時說攘夷，包含有抵抗侵略、保國衞家、堅持文明的含義。但後來，逐漸演變為「嚴分華夷界限」的盲目排外心理。

三是大一統。所謂大一統，指全國法度和思想的統一。在《春秋》記事中，「隱公元年」開筆便書「元年春王正月」；以後記年月多取這種形式，在魯各公紀年後，於曆法則取周王朝統一頒訂的曆法。曆法的統一，屬於法度統一的重要內容。統一有利於促進經濟和文化發展。《公羊傳》，尤其是漢代的公羊學，對「大一統」思想著重發揮，鼓吹建立統一的中央集權的封建專制國家。

古人又稱頌所謂「《春秋》書法」，或曰「《春秋》筆法」。關於「《春秋》筆法，司馬遷在〈太史公自序〉裡作了明晰的概括。

他認為孔子是用對歷史事實的褒貶來為天下樹立法度，通過對事實的敍述，批評天子，斥責諸侯，聲討大夫，以口誅筆伐來代替王者的政令，「上明三王之道，下辨人事之紀，別嫌疑，明是非，定猶豫，善善惡惡，賢賢賤不肖，存亡國，繼絕世，補敝起廢」實現「王道」。他認為，《春秋》的主要內容是道義，是撥亂反正。《春秋》筆法是通過敍述歷史而為現實政治服務，在對歷史人物和歷史事件的褒貶中，寄寓作者的政治理想，採善貶惡，明辨是非，秉筆直書，愛憎分明。這就是司馬遷從理論上對《春秋》寫作思想和寫作方法的概括。

在文字寫作技巧上，《春秋》經有兩個突出的特點。

一是簡要：劉知幾在《史通．敍事》中提倡「尚簡」，舉《春秋》爲例說：「《春秋》經曰：『隕石於宋五』，夫聞之隕，視之石，數之五，加以一字太詳，減其一字太略，求諸折中簡要合理，此爲省字也。」敍事之文尚簡是對的，可是《春秋》有時失之過於簡約，不但難明，而且缺乏文采。

二是謹嚴：韓愈〈進學解〉說：「《春秋》謹嚴。」指其遣詞用字不苟。如前文所述，用「崩」、用「薨」、還是用「卒」；用「弒」、用「誅」，還是用「殺」，嚴格講究，一點不馬虎從事。用字如此，用句也如此。所以歐陽修〈論尹師魯墓誌〉說：「簡而有法，在孔子六經，惟《春秋》可當之。」可是，過於拘泥，又難能流暢自如。

我們對這兩個特點，只能取其長而避其短。

第二節　《左傳》

《春秋左氏傳》簡稱《左傳》，是《春秋》三傳的第一部，全文一八〇二七三字，在十三經中篇幅最長，稱爲「大經」。

《左傳》原名《左氏春秋》，原來與《春秋》各自成書，是單獨流傳的一部史書。因爲它敍事比較詳細明晰，在流傳過程中，人們先是把二書一前一後編在一起，先是全經，後是全傳；後來又把內容分析開，一段經、一段傳合編。於是，《左傳》便成了釋經之傳。可是二書畢竟還有不合的地方，雖然後人對《左傳》作了增纂，竄入二百多條，仍有不少明顯的不合之處。所以，《左傳》既有「經後之傳」，又有「無經之傳」，還有一些「有經無傳」。

❖《左傳》的作者和成書時代

《左傳》原名《左氏春秋》，相傳是春秋末年魯國太史左丘明所撰。直到西漢司馬遷作《史記》，還稱這部書書名叫《左氏春秋》。《史記．十二諸侯年表序》說：「魯君子左丘明，懼弟子人人異端，各安其意，失其眞，故因孔子史記具論其語，成《左氏春秋》。」按「春秋」二字乃史書之通稱，《左氏春秋》猶言左氏其人所撰寫的私家史書。

對左丘明其人，我們現在了解很少。大約他與孔子是同時代人，《論語．公冶長》說：「巧言令色，足恭，左丘明恥之，丘亦恥之。匿怨而友其人，左丘明恥之，丘亦恥之。」看來，左丘明可能是一個以正直而出名的人，《漢書．藝文志》說：「左丘明，魯太史。」他是魯國的史官。這也是可信的，因爲他是史官，才有可能掌握豐富的史實材料。《史記．太史公自序》說：「左丘失明，厥有《國語》。」說左丘明是個盲人。其他的情況，我們就不了解了。究竟他是姓左名丘明呢，還是複姓左丘名明呢，或者左史是官職，姓丘名明呢？都不得知。孔穎達轉引《孔子家語．觀周書》云：「孔子將修《春秋》，與左丘明乘如周，觀書於周史，歸而爲《春秋》之經，丘明爲之傳。」《孔子家語》是魏經學家王肅所撰僞書，所述事理也不合，不可相信，這大概是附會孔子作《春秋》及左丘明爲之作傳而編造的故事。

宋代學者提出《左傳》是戰國時人根據各國史料輯錄而成的（如王安石、葉夢得、鄭樵、王應麟等人），主要理由是在《左傳》末尾記有「悼之四年晉荀瑤帥師圍趙」一小段，寫到悼公十四年韓、魏、趙三家滅知伯事，事屬戰國時期；書中還寫了一些在戰國時得到應驗的預言；但人們認爲，這些文字是《左傳》流行後，戰國時的人補入的，不能據以否定全書基本爲左丘明所作。清代劉逢祿《左氏春秋考證》和康有爲《新學僞經考》又斷言《左傳》爲劉歆僞作，但頗多臆斷之詞，今人從此說者甚少。多數學者認爲：左丘明作《左氏春秋》的傳統說法，目前還沒有充分的根據予以推翻。

承認左丘明是作者，那麼這部史書當產生在春秋末年或春秋戰國之交的時期。據楊伯峻《春秋左傳注前言》考證，約成書在西元前四〇三年至西元前三八九年；據徐中舒《左傳的作者及其成書年代》考證，約在西元前三七六年至西元前三五六年。二說的年代出入不大。從其產生時代來看，《左傳》是我國第一部私家史書。從內容來看，它敍事較《春秋》詳細、明晰、完整，而且史實、史論、史識相結合，是我國第一部完備的編年體史書。

我們現在見到的，已經不是左丘明所作的《左氏春秋》的原貌。在長期流傳過程中，儒家把這部本來單獨流傳的史書，逐步地變成解釋《春秋》的經傳，改動了它原來的面貌。大約在戰國時期，儒家學派爲了解釋《春秋》經，已經開始利用《左氏春秋》，同時又根據戰國的史實，補充了一小部分文字。如上所述最後一小段以及書中有關三家分晋和陳氏代齊的預言和其他內容，都是增入的。先秦儒家很重視這部書，據說是由荀子傳授給門人而傳下來的。在西漢前期，這部書並未廣泛流傳。一直到西漢後期，負責整校國家圖書的劉歆才從祕府書庫裡發現它。這部書怎樣到了祕府書庫，則其說不一：有人說是荀子傳給張蒼，張蒼傳給賈誼（《釋文．敍錄》）；有人說是魯恭王於孔子舊宅夾壁中發現（王充《論衡》）；這都無從稽考。劉歆把《左氏春秋》作爲解釋《春秋》之傳獻給皇帝，請求立於學官，因爲它是古文學，遭到今文學派的反對，舉出內容的許多不合之處，說明它「不傳《春秋》」、「非經之傳」。這個問題，直到東漢，古文學派與今文學派仍然進行爭論。古文學派爲了使這部書與《春秋》經相合，不惜對它的文字進行某些塗改；又竄入了二百餘條釋經的「義例」和一些討漢代統治者歡心的內容（如說劉氏是唐堯之後），這部書畢竟以《春秋左氏傳》的名稱，得與《春秋公羊傳》、《春秋穀梁傳》一同流傳，最後也取得「經」的地位。晋代杜預把它和《春秋》經合在一起。杜預最早為《左傳》作注，後來，唐．孔穎達疏《春秋左傳正義》是有影響的注本。

由《左氏春秋》變為《左傳》，這部史書本來的面貌受到了損害，不但內容被有所塗改並且竄入一些經學文句，全書也被拆開附在一條條《春秋》經文之後，不再獨立成書。雖然如此，由於它本身的歷史價值和文學價值，仍然不失其耀眼的光彩。

❖經後之傳、無經之傳和異經之傳

《左傳》雖被當作一本釋《春秋》經的書，而它的內容又與《春秋》經文不完全相合，因而它有「經後之傳」、「無經之傳」和「異經之傳」。

先說「經後之傳」

《春秋》經原來從魯隱公元年（西元前七二二年）記到魯哀公十四年（西元前四八一年），共二四二年之事；《左傳》則從魯隱公元年，記到魯哀公十六年孔子卒，又延續到哀公二十七年（西元前四六八年），共二百五十五年之事，多十三年；如果加上最後附的一段魯悼公四年（西元前四六三年）之事，實延至悼公十四年（西元前四五三年）。這些都是「經後之傳」。又．《左傳》在隱公元年「惠公元妃孟子」一節，還追述到春秋之前數十年的事。

《左傳》所記述的時代比《春秋》長，往前追述了幾十年，往後延長了二十七年。

次說「無經之傳」

即《春秋》經所沒有記載的，《左傳》卻有記載。凡是《左傳》認為的大事，而《春秋》經所失載的，它都根據史料加以記載。如首章〈隱公元年〉，經記了七條，《左傳》記了十四條；這樣的例子，每章都有，只要讀《左傳》就一目了然，不必再舉例。當然也有有經無傳之處，如〈隱公二年〉經九條，傳只有七條；總起來則是傳的記事遠遠多於經的記事。至於有經有傳的文字，經文簡約，傳卻把事實記述清楚，如〈隱公元年〉經第三條只記：「夏五月，鄭伯克段于鄢」九字，傳則把此事的始終經過交待得清清楚楚，有人物、有情節、有前因和後果、有血有肉、有評論，共寫了五百二十二字，內容豐富而完整。

再說「異經之傳」

《左傳》傳文有和《春秋》經文相異之處，這大多數是經文記載有誤，傳文則予以糾正。如〈昭公八年〉經文作：「夏四月辛丑陳侯溺卒。」傳文作：「夏四月辛亥哀公縊。」二者記同一人死的時間和死法不同。又如〈襄公二十七年〉經文作「十二月乙亥，朔，日有食之。」傳文作：「十一月乙亥，朔，日有食之。」用現代科學方法推算，這次日食，傳的記載是對的，經的記載是錯的。像這樣經傳相異之處還有，孔穎達疏說：「經傳異者，多是傳實經虛。」

從以上評述來看《左傳》的歷史記事資料，比《春秋》經豐富、充實，也比較準確可靠。

❖《左傳》的基本內容和思想傾向

《左傳》編年記事，取材範圍和記敘內容比《春秋》廣闊，是先秦時期內容最豐富、規模最宏大的一部歷史著作。

全書記敘的時間長達二百五十餘年，地域範圍遍及南北各諸侯國，由於史料的限制，就時間來說，前略而後詳；就地域來說，魯、晉等國較詳。然而整體來說，《左傳》內容比較豐富而有條理。

全書比較詳細地記敘了春秋時期周天子以及各諸侯國之間的政治、軍事、外交、文化等方面的活動，反映了當時王室衰微、諸侯爭霸、以及諸侯衰落、卿大夫專權的歷史過程。作者忠於歷史事實，生動眞實地反映了奴隸社會崩潰時期的重大變化，提供了那個時代廣闊的社會生活畫面。諸如宗法制度的崩潰，各個階級、階層和統治集團內部的各種矛盾衝突，各種制度禮儀、社會風俗、道德觀念，以及當時流行的各種神話傳說、歌謠諺語等，也都有大量記敍。

全書在記敍的過程中，對人物事件有分析有評價；贊成什麼，反對什麼，觀點鮮明。作者在書中還用了不少「君子曰」，對史事發表評論。所以全書史事、史識、史論相結合，體現了作者的思想傾向：

一、通過各國的盛衰興亡肯定「民惟邦本」

春秋列國或興或衰，變化更迭。作者通過記述紛繁的歷史現象，從一代之所以盛衰，一國之所以興亡，一君之所以治亂，總結出「民惟邦本」的歷史經驗。

如〈襄公十四年〉記：「衛人出其君」，晋侯認爲這樣做太過份了，師曠回答晋侯說：「良君當賞善而刑淫，養民如子，蓋之如天，容之如地，民奉其君，愛之如父母，仰之如日月，敬之如神明，畏之如雷霆，其可出乎？夫君，神之主而民之望也。若困民之主，匱神乏祀，百姓絕望，社稷無主，將安用之？弗去何爲？天生民而立之君，使司牧之，勿使失性。」作者記述師曠這一大段議論是說，天爲了萬民才立君，君須愛民合於民望，百姓逐君，非百姓之過，而是君不合民望，君不成愛民之君，逐之有何不可？

又如：〈哀公元年〉記吳軍攻入楚國，楚君逃亡，陳國是夾在兩國之中的小國，究竟向誰靠攏呢？陳君左右爲難。逢滑向陳公說：「國之興也，視民如傷，是其福也；其亡也，以民爲土芥，是其禍也。」他認爲，楚國並沒有失去民心，還可以恢復；吳國雖勝，卻荼害它的人民，不能夠久長。所以，「國之興也以福，其亡也以禍。今吳未有福，楚未有禍，楚未可棄，吳未可從。」

《左傳》通過敍述大量史實，總結出「國將興，聽於民」，「違民不祥」，「衆怒難犯」等見解，表現出比較重視人民疾苦，重視羣衆的意志和情緒，對虐害百姓的君王，無不加以抨擊。如晉靈公不君被殺，作者謂其該死；秦穆公以子車氏三子殉葬，作者責其「死而棄民」。在全書中比較突出地反映了儒家的民本思想，並且作爲貫穿全書的指導思想。

二、敍述新舊勢力的代謝是歷史的必然

《左傳》有許多篇幅敍述了魯、齊、晉等國代表新興地主階級的政治勢力逐漸發展，終於「政在私門」，掌握了政權，與舊貴族統治階級展開激烈的衝突。作者忠於史實，對雙方進行如實地描寫時，對新興政治勢力抱一定的肯定態度。

如〈昭公二十五年〉記述魯國新舊勢力衝突的事件，作者如實地描寫了代表舊勢力的魯昭

公及其周圍貴族是一批昏庸腐朽、必然沒落的人物，他們突然向代表新興勢力的季氏發難。季氏在危急中得到孟孫氏、叔孫氏的援助，予以反擊，魯昭公不堪一擊一敗塗地，流亡晉國。八年後，在晉國病死。〈昭公三十二年〉記晉趙簡子就這個事件問史墨的看法，史墨回答說：「魯君世從其失，季氏世修其勤，民忘君矣。雖死於外，其誰矜之？社稷無常奉，君臣無常位，自古以然。故《詩》曰：『高岸爲谷，深谷爲陵』。三后之姓，於今爲庶。」作者借史墨的口對這個事件作了評論：古時三代聖王的後代如今不也是庶民嗎？君並不會代代是君，臣不會代代是臣，改朝換代是常有的事，在政治上有「失」有「勤」，替代是必然的。

又如〈昭公三年〉記述晉國叔向和齊國晏嬰的對話，他們談論這兩國政權逐漸落入代表新興階級的大夫之手，晏嬰認爲齊國的陳氏「民人痛疾，而或燠休之」，民人對陳氏「其愛之如父母，而歸之如流水」；叔向則承認晉國貴族統治者使「庶民罷敝，而宮室滋侈，道殣相望，而女富溢尤；民聞公命，如逃寇仇。」他們一強一弱，新舊代謝，自然是必然的了。

《左傳》也描寫了周王室懦弱無能。如關於周、鄭的衝突，〈隱公三年〉記周與鄭互納人質來解決爭端；〈桓公三年〉記兩方交戰，周王室不堪一擊。甚至周王室有幾代發生內部變亂，卻求乞於諸侯援助。雖然作者主張「尊王」，對周王室的懦弱無能表示惋惜，卻如實地展現了它的沒落實屬必然。

正因爲《左傳》表現了一定的進化觀點，宋代理學家十分惱火，指責說：「左氏之病，是以成敗論是非，而不本於義理之正。」③這是批評《左傳》對違反綱常禮教的新興政治勢力，作了客觀的乃至同情的敍述，不維護君臣大義。據我們來看，這恰是《左傳》有一定進步思想的表現，是其可貴之處。

三、描寫和歌頌於國於民有貢獻的歷史人物

春秋時期的列國是各諸侯國，在各國紛爭中，對國家所持的觀念，當然不能上升爲現代意義的愛國主義；不過，當國家危難時，保衞其安全而使其免遭侵陵和毀滅的愛國思想，畢竟是可貴的。《左傳》對這樣的愛國人物是熱情歌頌的；對爲本國人民謀福利的開明政治家是熱情讚揚的；對那些對歷史發展起過促進作用的重要歷史人物是積極肯定的。《左傳》用了很多筆墨，描述這些突出的歷史人物及其功業。

《左傳》中描寫的重要歷史人物有齊桓公、秦穆公、晋文公、楚莊王等人。記述了他們部分的或一生的事業。

如〈僖公二十三年、二十四年〉記晋公子重耳亡命秦國，在外流亡十九年，在秦穆公幫助下回國奪取政權。他即位後，對晋國政治進行改革，勵精圖治，使晋國強盛，稱晋文公。

〈僖公二十八年〉又記晉楚城濮之戰，晉文公大敗楚軍，從而爭霸中原。

又如〈僖公三十二年、三十三年〉記述「秦晉殽之戰」，生動地刻劃了秦穆公作為政治家的優良素質。秦穆公奮發圖强，使秦國由一個僻處西陲的國家强盛起來。後來他不聽謀臣蹇叔的勸告，作出錯誤的決策，派遣孟明等率軍遠道奔襲鄭國，在殽地被晉軍打敗，孟明等被俘。秦穆公進行自我批評，主動承擔責任，親自迎接被釋放歸來的孟明，仍舊重用，養精蓄銳，結果打敗了晉國，從此稱霸西方。

再如〈文公十六年〉記楚莊公即位不久，楚國遇到大荒年，附近國家和一些部族聯合來進攻，楚莊公以計戰勝敵人，並擴大了版圖。〈宣公十二年〉再記楚莊公任用賢臣，修明軍政，强兵勵武，發展經濟，改善民生，促進楚國社會的發展，國力充實，結果問鼎中原，於楚晉邲地之戰大捷，成為霸主。

《左傳》還寫了吳王闔閭、越王勾踐等人，也都讚揚他們改革政治、勵精圖强，促進社會發展，各自成就一番事業，為我們留下這些重要歷史人物的生動形象。

《左傳》對於以國家為重而不顧個人安危、不計個人利益的人物，是滿懷激情地讚揚的。如上述〈僖公三十二年、三十三年〉秦晉殽之戰，記述中插敍了蹇叔哭師和弦高犒師兩個故事。蹇叔哭師的故事說的是秦穆公決定派師遠襲鄭國，蹇叔苦諫不聽，他便冒犯上之險，當秦師出師時，穿上孝衣在東門哭師，想以此作最後的諫阻。弦高是鄭國的商人，途中遇到秦軍襲鄭，便取個人所有，在途中犒勞秦軍，把秦軍穩住，派人快馬向鄭國送情報，使鄭國有所準備。蹇叔、弦高屬秦、鄭兩方，作者並無偏袒，既讚許蹇叔審時度勢，視國危爲己危，又褒揚弦高機智靈活，不惜個人財產保護國家安全。又如〈定公四年〉記楚大夫申包胥向秦國求取救兵，痛哭請求，七日不食，終於說服秦君出兵，拯救了楚國的危難。

對於以國家利益爲重，不計個人安危的思想和行動，《左傳》是熱情歌頌的；而對於爲個人利益而出賣國家的人，《左傳》則深惡痛絕。如〈宣公二年〉，記宋國的羊斟爲報私仇使本國軍隊敗於鄭國，作者口誅筆伐，斥爲「非人」。

《左傳》也稱頌留意民間疾苦、治國有方的開明封建政治家，鄭國的子產就是作者大力突出的這類人物。〈襄公三十一年〉、〈昭公元年、二十年〉都記述了子產的事迹。子產在鄭國爲相，注意「擇能而使」，知人善任，揚長避短，注重使用具有實踐經驗的人。作者借此指出，執政者對羣衆的評議應該以之爲師，揚善改惡，即使羣衆意見不正確，也不能壓制，只能採取疏導的方法。對晉國的叔向、齊國的晏嬰，也同樣是肯定的。

四、揭露統治階級內部矛盾及統治者的荒淫殘暴

〈隱公元年〉記「鄭伯克段於鄢」是一篇很著名的記事，描述了鄭莊公與其弟共叔段爲爭奪權位所產生的衝突，他們爲了權位而骨肉相殘。作者著重刻劃了鄭莊公居心險惡，老謀深算，狡滑詭詐而又僞善的性格。爲了爭奪權位，他與母親反目，但又編造出「黃泉相見」的滑稽劇來僞裝孝道。又如對晉靈公、楚靈王這些暴君，對陳靈公、齊莊公這些荒淫無恥、穢汚敗德的昏君，都無情地予以揭露。

五、通過對戰爭的描寫總結先進的軍事經驗

《左傳》以擅長寫戰爭而著名，共記敍戰爭四百八十三次，以大量的篇幅描寫了一百餘次戰爭，其中有一些重大的戰役，如齊魯長勺之戰（〈莊公十年〉）、秦晉韓原之戰（〈僖公十五年〉）、晉楚城濮之戰（〈僖公二十七年〉）、秦晉殽之戰（〈僖公三十二年〉）、晉楚邲之戰（〈宣公十二年〉）、齊晉鞌（鞍）之戰（〈成公二年〉）、晉楚鄢陵之戰（〈成公十六年〉）、齊晉平陰之戰（〈襄公十八年〉）、吳楚柏舉之戰（〈定公四年〉）、齊魯清地之戰（〈哀公十一年〉）等等。作者寫這許多戰役，能夠避免簡單化、公式化，而抓住戰役進行的

關鍵環節和造成勝負的因果關係，表現出較深刻的軍事思想。

《左傳》著重記述了戰爭的勝負首先決定於政治因素，即戰爭的性質和人心的向背。如秦晉韓原之戰，作者以較多筆墨强調秦國在道義上優勝，秦國曾援助晉國，而晉國背信棄義，結果晉國大敗。晉楚城濮之戰，楚國本來很强大，晉文公以很大力氣爭取盟國、爭取民心，在政治上壓倒楚國，結果取得勝利。晉楚邲之戰，楚莊王得民心，晉不能相比，結果楚勝晉敗。戰爭必須「師出有名」，取得人民的支持。

《左傳》也注意戰略戰術的運用。如秦晉殽之戰講的是「勞師遠襲必敗」；晉齊鞌之戰講的是「驕兵必敗」；齊魯長勺之戰曾經被稱爲「中國戰史中弱軍戰勝强軍有名的戰例」，魯軍採取「敵疲我打」的方針打勝齊軍，文中指出了戰前的政治準備——取信於民，敍述了利於轉入反攻的陣地——長勺，敍述了利於開始反攻的時機——彼竭我盈之時，敍述了追擊開始的時機——轍亂旗靡之時。雖然是一個不大的戰役，卻同時是敍說戰略防禦的原則。

《左傳》一方面具有進步的思想傾向，但另一方面，作者的基本立場是維護舊禮制的，認爲唯有恢復舊的禮制才可以扭轉局勢，安定社會。書中不但記述了一些人物關於「禮」的談論和頌揚，有時還直接對破壞禮制的現象加以批評。其次，《左傳》還有相當多的章節宣揚天道、鬼神、災祥、卜筮、占夢之類迷信思想。這些是《左傳》全書思想中的落後部分。

❖《左傳》的文學成就

《左傳》是史書，又是歷史文學著作。它的文學成就，突出地表現在四個方面。

(一)敍事詳密完整，故事性强，情節曲折生動，穿插巧妙

《左傳》是史傳，它卻不枯燥地敍述史實，機械地羅列各類材料，而以史事的發展過程爲綱，一個一個事件來寫，把衆多的人物活動、政治、經濟、外交、歷史淵源、社會關係各方面的關聯，有機地組成一個整體，雖然事件冗雜，頭緒紛繁，卻又井然有序。縱向發展，脈絡清晰；横向聯繫，左依右傍。如劉熙載《藝概》所說：「紛者整之，孤者輔之」，「剪裁運化之方，斯爲大備」。有許多事件的記敍，通過精心結構剪裁，把枯燥的人物言論和政治、外交、軍事組織等巧妙穿插進去；這又如《藝概》所說：「板者活之，直者婉之，俗者雅之，枯者腴之」。有許多事件，在敍述中注意到情節的跌宕起伏，張弛有致，曲折生動，扣人心弦，宛如講述故事。另外，《左傳》既做到一個個事件敍述的詳密完整，也注意到幾個事件的前後聯繫，如邲之戰、城濮之戰、鄢陵之戰三個戰役前後相距數十年，在作者筆下上承下啓，仍有其相聯之軌迹。

(二)刻畫人物，個性鮮明

《左傳》刻畫了許多性格鮮明的歷史人物形象，如雄才大略的晋文公，迂腐可笑的宋襄公、僞善詭詐的鄭莊公、一心爲國的蹇叔、明察善斷的子產等等人物，都栩栩如生，呼之欲出。《左傳》是史書，描寫的人物不像小說中的人物可以虛構，而必須忠實於歷史原貌，因此必須在眞實的歷史過程中掌握和突出人物的性格特點。《左傳》刻畫的人物形象，性格是豐富的，如秦穆公拒不接受老臣的諫阻而決定遠道襲鄭，表現了他性格中剛愎自用的一面，而戰敗後他又能反躬自省，當衆進行自我批評，表現了他性格中勇於承認錯誤和改正錯誤的一面；他既有富國强兵的宏圖大志，又有壓倒臣民的横暴作風；人物的性格是豐滿的、活生生的。又如先軫怒斥晋襄公，向襄公臉上吐唾沫，一個細節就顯現出他性格的剛烈。《左傳》常常這樣寥寥幾筆，便使人物形態畢露，各顯其風姿神韻。而且，通過這衆多的人物活動，作者也生動地寫出當時的世態人情。

㈢善於描寫複雜的戰爭

《左傳》記載的戰爭有四百餘次，具體記述的戰爭一百餘次，其中有十餘次規模宏大的歷史上著名的大戰役。記敍這些戰役，作者明確交待戰爭的原因、經過和結果，軍事和政治、外交的結合，雙方的主帥、軍心和兵力，把錯綜複雜的矛盾和衆多的場面，嚴整有致，又繪聲繪色地表現出來，時而驚心動魄，時而又從容不迫地穿插一些生動的細節和有趣的故事。

各個戰役各有風貌，不曾有雷同的文字。而且，作者還以史學家的眼光，對戰爭勝負作出政治分析。這些，表現了較高的組織剪裁和描寫功力。

㈣文辭簡鍊，辭令精美，不乏「化工之筆」

《左傳》的語言藝術成就，爲歷代學者所稱道。它最大的特點是簡鍊，而在簡鍊之中又表現出富艷和豐潤。劉知幾《史通》曾專論《左傳》的文體，他舉過一些例子後說：「斯皆言近而旨遠，辭淺而義深，雖發語已殫，而含義未盡，使讀者望表而知裏，捫毛而辨骨，睹一事於句中，反三隅於句外，晦之時義，不亦大哉！」這是說，《左傳》用簡鍊的文字蘊含豐富的意義，即「詞約義豐」。蘇軾也很高地評價《左傳》的語言藝術，稱讚它「言止而意不盡」。它的敍述語言都是隨物賦形，寫什麼像什麼，如馮李驊《讀左卮言》：「凡聲情意態，緩者緩之，急者急之，喜怒曲直，莫不逼肖。」寫人物語言，有許多地方也能做到出於什麼人的口就像什麼人，適合其所處的環境和身份。《左傳》還記述了許多「行人辭令」和諫說之辭，這是對原始記載作潤飾加工，或委婉，或激切，或典雅，或風趣，顯出不同的風格。另外，《左傳》中還引用了一些歌謠諺語和人民羣衆的口語，增强文章的生動性。

《左傳》對後世文學創作的影響是深遠的。在敍事中情節完整生動，注重人物刻畫和文采，對我國文言小說和白話小說有影響。唐宋八大家散文和桐城派古文，都提倡從《左傳》學習「義法」，即內容言之有物和講究謀篇、布局、結構停當，並注意情致韻味。從司馬遷的《史記》、各家史傳、唐宋八大家和桐城派散文，到近代白話小說，都是《左傳》所開創的文學傳統的繼承。直到現代，《左傳》的一些文章，仍然是各大中學校學習的散文教材，把《左傳》中的名篇，作爲學習寫作的借鑒。

現在，我們是把它作爲一部優秀的歷史文學著作，而不把它當作所謂「經書」了。

第三節 《公羊傳》

《春秋》三傳中的《春秋公羊傳》，簡稱《公羊傳》，又稱《公羊春秋》。《公羊傳》是漢代的今文學，也是漢代的顯學。漢代統治者「獨尊儒術」，賦予儒經以崇高的地位，其中最推崇的就是公羊學。到清代，由於中國政治運動的需要，公羊學又興盛起來，於是《公羊傳》又受到學術界的重視。

❖《公羊傳》的作者、時代及其流傳

《公羊傳》舊題作者是公羊高，「公羊」是複姓，據說公羊高是孔子門人子夏的弟子。

《春秋公羊傳注疏》引〈戴宏序〉說：「子夏傳於公羊高，高傳與其子平，平傳與其子地，地傳與其子敢，敢傳與其子壽。至漢景帝時，壽乃與齊人胡毋子都著於竹帛。」這是說，公羊氏家傳由公羊高起共五代，都是口耳相傳，到第五代公羊壽，才和胡毋子都一同寫成書，時間是在漢景帝時。所以，《四庫全書總目》著錄又稱「漢公羊壽傳」。這部書是在西漢成書的今文學傳注，被立於學官。自來對作者和成書時代無異議。

《公羊傳》用對答體逐層逐字解釋《春秋》經文的所謂「微言大義」。漢武帝時，著名儒者公孫弘、董仲舒都是治公羊學的，都深得武帝的信用。董仲舒大力發揮公羊學，倡導大一統。武帝採納董仲舒的建議，「罷黜百家，獨尊儒術」，也主要是尊公羊學，所以公羊學是漢代的一代顯學。

《公羊傳》本身重在發揮經文書法義例，根本不詳史事，而借經文的隻言片語，發揮冗長的議論，並不問經文本義，主觀隨意性很大。兩漢經師傳授公羊學，爲了迎合統治者之所好以博取利祿，進一步把它和讖緯神學相結合，而且把《公羊傳》的章句越講越繁瑣，以致章句蔓衍，往往數十萬言至百餘萬言，還不能解明傳意。

東漢後期的何休，是董仲舒四傳弟子，著名的今文學者。他廢章句之學，又合《春秋》經與《公羊傳》爲一編，按條例爲《公羊傳》作注，撰成《春秋公羊解詁》。這本書後來又由唐代的徐彥作疏，即今收入《十三經注疏》中的《公羊傳注疏》。

清今文學家孔廣森認爲何休的《解詁》有訛誤和臆斷之處，未能全合傳意，他以公羊學說爲主，兼採他說，因襲《解詁》原注，存精粹，删支雜，破拘窒，增隱漏，撰成《春秋公羊通義》。另一位今文學家劉逢祿著《春秋公羊經何氏釋例》、《公羊春秋何氏解詁箋》都是闡述何休《解詁》學說的重要著作。

❖〈春王正月〉

「隱公元年，春，王正月」是《春秋》經文的第一句話，《公羊傳》給這句話作注，作了一篇文章，闡發它的「微言大義」，即精微的語言和深奧的道理。他們認爲，《春秋》經文的斟字措詞有所謂「書法」，在經文中貫穿有聖人深奥的含義。

這篇文章前後共兩段。前段從「王正月」三字，闡明「大一統」思想：

元年者何？君之始年也。春者何？歲之始也。王者孰謂？謂文王也。曷為先言王而後言正月？王正月也。何言乎王正月？大一統也。

這一段分別解釋了經文的「元年」、「春」、「王正月」幾個字詞，說明《春秋》用這幾個字的含義。它說：元年，是國君即位的第一年；春，是一年農事活動的開始；王，是周文王；王正月，是根據文王受命建立周朝所制定的曆法。根據儒家的禮制，由天子制定曆法統一頒行天下，這就是大一統的思想。魯國國君即位改元，所以記隱公元年，但記月，仍然按大一統的禮制採用統一的周曆，表示尊王爲共主，實行天下大一統的意思。

第二段說經文只記「隱公元年，春，王正月」、而不寫明「即位」，由此進行推究，又深一層地發揮了一篇大道理，它說：

> 公何以不言即位？成公意也，何為成公之意？公將平國而反之桓。何為反之桓？桓幼而貴，隱長而卑。其為尊貴也微，國人莫知。隱長又賢，諸大夫扳隱而立之。隱於是焉而辭立，則未知桓之將必得立也。且如桓立，則恐諸大夫之不能相幼君也。故凡隱之立，為桓立也。隱長又賢，何立不宜立？立適以長不以賢，立子以貴不以長。桓何以貴？母貴也。母貴則子何以貴？子以母貴，母以子貴。

《公羊傳》說，所以不寫即位，是成全隱公的心意：隱公只打算攝位，而準備把國君的位置還給他的弟弟桓公。桓公雖然年幼，其母卻是右媵，隱公雖然年長，其母卻沒有桓公的母親尊貴；子以母貴，所以桓公的地位比隱公的地位尊貴。他倆都是媵妾所生的兒子，其母的尊卑地位國人不知道，攀援隱公的人見隱公年長又賢明，便擁立他爲君。隱公當時不推辭，是怕大夫們不肯擁立和輔佐年幼的桓公，所以攝政，準備將來歸政桓公。爲什麼長而賢的隱公不能正式繼位爲國君呢？因爲禮法規定：「立嫡以長不以賢，立子以貴不以長」，立繼承人應立正妻所生的長子，不論他是賢是愚；如果正妻無子，立衆媵妾所生的兒子，那就不論年長或年幼，子以母貴，立那個在媵妾中地位最高者所生的兒子。隱公和桓公的母親雖然都是媵妾，但桓公的母親地位尊貴，所以應該由桓公繼位。《公羊傳》就《春秋》經文中不寫「即位」二字作了這一篇文章，稱讚隱公能夠自覺地維護宗法制度的這個規定。

宗法制度的這個規定，其本質在於維護世襲制，避免因繼承問題發生糾葛而破壞整個統治秩序，所以按照嚴格的尊卑等級規定了繼承關係。它是爲鞏固奴隸主和封建貴族的內部秩序而服務的。《公羊傳》從《春秋》經的一句話，引發出這一大段「微言大義」，其目的正是爲了宣揚這個理論。它的其他傳文，也多是採用這樣的問答體來進行說教。

我們再看看《左傳》對《春秋》經這一句話的解釋說明，就明白二書的區別了。《左傳》先是敍述隱公、桓公的生身關係，下面只有十三個字：「元年春，王周正月，不書即位，攝也。」《左傳》詳於記事，不多在文辭上引申發揮。

❖「宋人及楚人平」

《春秋》經文宣公十五年夏五月記「宋人及楚人平」。「平」指兩國媾和。

《左傳》對這件事作了詳細的記述：楚莊王伐宋國，宋國派人向晉國求救，晉未發援師。楚包圍宋城，久攻不下，就在宋城周圍修建營房，分兵屯田，表示長期圍困的決心，意在逼宋投降。宋派華元夜入楚營，向楚主將子反說明宋城內的困難情況，說城內已經「易子而食，析骸爲炊」，但是寧可亡國，也不會作城下之盟，如果楚退兵三十里，則唯命是聽。「子反懼，與之盟而告王，退三十里」，宋和楚媾和，盟曰：「我無爾詐，爾無我虞。」《左傳》重在記事，很少發表議論。

《公羊傳》的傳法與《左傳》不同。再從這一篇來看，它還是採用問答體，一開始就問：「外平不書，此何以書？」「大其平乎已也。」又問：爲什麼讚揚這次媾和呢？接下去就敍述這次媾和値得讚揚之處。爲了突出讚揚「信義」這個主題，它敍述的方法和重點，都與《左傳》不同。它開始就敍述楚軍圍宋已只有七日之糧，糧盡而不勝就要退兵。莊王派主將子反登城外土丘窺視城內虛實，宋臣華元也出城來土丘見子反。子反問城內情況，華元據實告之「易子而食，析骸而炊」。子反問：「你為什麼把實情告訴我呢？」華元說：「君子見人之危則矜之，小人見人之厄則幸之，吾見子之君子也，是以告情於子也。」於是子反也把楚軍的實情告訴華元。子反回營把情況告訴莊王；莊王怒責他不該把本軍實情告訴宋國，子反說：「以區區之宋，猶有不欺人之臣，何以楚而無乎？是以告之也。」莊王還要等待破宋，子反卻堅持撤兵回去，結果引軍回國。這裡敘述的事實比《左傳》簡略，也有細節出入和側重點不同，但是，突出了推崇「信義」的主題思想。

在這篇文字的末尾，《公羊傳》作者又問：媾和的兩個人都是大夫，為什麼《春秋》經文卻記「宋人及楚人」，為什麼稱「人」呢？回答說：「貶。曷為貶，平者在下也。」它發揮《春秋》在這裡用「人」字的精義說：這是貶義，因為這是在下位的人媾和。按照禮制，像媾和這樣的大事，應該由國君作出決定和定盟約的。這個觀點是迂腐的，至於稱讚交戰雙方這樣交換眞實情報，就更加迂腐了。

僖公二十二年的楚宋泓水之戰，宋師敗績，責任完全在宋襄公。戰幕揭開，楚軍正渡河而來，將士們請求出擊，宋襄公說：「不可，吾聞之也，君子不厄人。」楚軍渡過河尚未布成陣，將士們再請求出擊，宋襄公說：「不可，吾聞之也，君子不鼓不成列。」等楚軍布完陣，宋軍出擊，結果大敗，宋襄公本人也中了箭傷。《左傳》記述這件事，批評宋襄公不知戰，而《公羊傳》卻讚揚宋襄公「臨大事而不忘大禮」，「雖文王之戰也不過此也」。這與宋襄公同樣迂腐可笑。

❖公羊學

公羊學的最大代表是董仲舒，他是公羊學大師，又是今文學派的創始人。今文經學以公羊學最重要。董仲舒的著作以《春秋繁露》爲代表。

董仲舒以孔孟原始儒學爲基礎，吸取法家、黃老學說，創始了以公羊學爲主要內容的西漢今文經學。它完全適合新興地主階級建立統一的中央集權封建國家的需要，完成了儒學的一次重要的發展改造。公羊學在漢代十分盛行，甚至有人用它決獄，有人用它祈雨。這套經學對鞏固統一的封建國家起了推動作用，而同時也把神權、君權、父權、夫權四條繩索套在中國人的脖子上。

公羊學的主要內容有以下一些：

㈠**君權神授**：皇帝是上帝之子，上帝授與他統治萬民之權，所以稱爲「天子」。天子是執行上帝的意旨治理天下的，上帝的意旨通過天子的金口玉言傳達世上，所以，服從皇帝，就是順從天意，違逆皇帝就是逆天而行。神權是令人敬畏的，而皇帝受命於天，君權也不可侵犯。這樣，公羊學就把君權和神權結合起來。

㈡**天人感應**：天心好德，所以天子以仁德之心治理天下。天可以通過祥瑞或災異表示對皇帝政治得失的意見。皇帝聽受天命，實行仁德，就會出現麒麟、鳳凰、靈芝、甘露、豐禾等等祥瑞，表示天的喜慶或褒獎；反之，政事不修，就會出現山崩、地裂、日月蝕、災害以及怪異現象，表示天的譴責或警告，如果不改，天就要以有德代失德，另換皇帝。

㈢**更化**：公羊學主張政治上德刑並用，而以德政爲主。公羊學者認識到光靠刑罰和鎮壓是不行的，應該進行政治上的變革，限制豪强土地兼併，薄賦斂、省傜役以寬民力，廢除奴婢制度，尤其不得擅殺奴婢；採取這些改革措施可以緩和社會矛盾，求取長治久安。

㈣**天不變，道亦不變**：天是至高無上的、永恆的；道就是天意，也是至高無上的，永恆的。何謂道？道就是綱常，即所謂「三綱五常」。三綱，指君爲臣綱，父爲子綱，夫爲妻綱；五常，即董仲舒所說：「夫仁、誼、禮、知、信五常之道，王者所當修飭也。」三綱五常是維護封建等級秩序的政治倫理根本原則。這個原則後來被宋代理學大大發揮。

㈤**性三品**：董仲舒根據孔子所說：「性相近也，習相遠也」，「惟上智與下愚不移」（《論語・陽貨》）的人性論思想，作了進一步發揮。他把人性分爲善、惡、中三等，認爲「聖人之性不可以名性，斗筲之性又不可以名性，名性者，中民之性。」性三品說後來又經東漢的王充、荀悅、唐代的韓愈作了進一步發揮。

㈥**大一統**：對《春秋》的大一統思想，漢儒也作了進一步發揮。大一統就是促進和鞏固國家的統一事業，在政治上實行君主專制的中央集權制；在經濟上實行統一度量衡、統一賦稅以及重要物資由國家直接經營；在思想上實行「罷黜百家、獨尊儒術」等等。董仲舒說大一統是「天地之常經，古今之通義」。

㈧**張三世**：董仲舒首倡「三世說」，他把《春秋》所記十二公的歷史分爲「有傳聞、有聞、有見」三世。東漢何休《解詁》附會引申說：孔子修《春秋》，「於所傳聞之世，見治起於衰亂之中，用心粗觕，故內其周而外諸夏；於所聞之世，見治升平，內諸夏而外夷狄；至所見之世，著治太平，夷狄進子爵，天下遠近大小若一。」清代公羊學復興，康有爲又把公羊學的三世說與《禮記．禮運》所表述的「大同之世」、「小康之世」相結合，把公羊學本來劃分春秋歷史的三世，擴大爲劃分世界歷史演進的三階段，即由「據亂世」，進至「升平世」，再進至「太平世」，從而完成了一個歷史演變的烏托邦思想，即撥亂世撥亂反正，升平世達到小康，太平世達到大同。

清代今文學復興，主要是復興公羊學的「張三世」和「更化」思想，加以新的引申發揮，作爲變法維新的理論根據。

第四節 《穀梁傳》

《春秋》三傳中的《春秋穀梁傳》簡稱《穀梁傳》，又稱《穀梁春秋》，也是漢代的今文學。《穀梁傳》在漢代曾與《公羊傳》並行，一度立於學官，但其後來的影響遠遠不如《公羊傳》和《左傳》。

❖《穀梁傳》的作者、時代及其流傳

《穀梁傳》舊題作者是穀梁赤（俶），「穀梁」是複姓，名字是個懸案，有的說名「寘」，有的說名「喜」，有的說「名俶，字元始」，有的說名「赤」，無從考證；唐・楊士勛傳《春秋穀梁傳疏》並載後二說：「名俶，字元始，一名赤。」據說穀梁赤是孔子門人子夏的弟子，穀梁赤傳於荀子，荀子傳於魯人申公，申公傳於博士江翁。它在戰國時期即已流傳，大約在《左傳》傳世後百餘年，與秦孝公同時；但那時都是口耳相傳，到西漢時才成書。《穀梁傳》成書的時間大約在西漢景帝之後，據今人楊伯峻證明：比較《公羊》、《穀梁》二傳，所記事實有矛盾之處，褒貶態度也有矛盾之處，所以二書不會是同一師傳；而《穀梁傳》的內

容，有不少係抄引《公羊傳》又加以修飾。《公羊傳》成書於漢景帝時代，所以我們論斷《穀梁傳》只能成書於漢景帝以後。

《穀梁傳》只在漢宣帝時立於學官，先後注講者十餘家。據《漢書．藝文志》記載曾有尹更始注《穀梁章句》二十三篇（亡）。這些章句注解「皆膚淺末學，不經師匠，辭理典據既無可觀，又引《左氏》、《公羊》以解此傳，文義違反，斯害也已。」（《春秋穀梁傳集解序》）。由於這些缺點，《穀梁傳》的傳授與習學者逐漸減少。東晉范寧集衆家解說爲《穀梁傳》重新作注，成《春秋穀梁傳集解》，開始將傳文與《春秋》經文合編在一起。唐初楊士勛又吸取別家注說，爲范寧《集解》本作疏釋，有兼採衆家之長的優點。今傳宋本《十三經注疏》所收《春秋穀梁傳注疏》即題晉．范寧注、唐．楊士勛疏，它引證博廣，是一個較好的注本。後來爲《穀梁傳》作義疏者不多，清王闓運著有《穀梁申義》，對范寧注有所辯說，進一步闡發了《穀梁傳》的義理。

《穀梁傳》和《公羊傳》同樣重在闡發義理，隨經作傳，其體裁也是一問一答逐層逐字釋義，這都與《左傳》不同。《穀梁》與《公羊》二傳雖同是重於釋義，卻又有不同：《公羊傳》釋「微言大義」；《穀梁傳》只釋「大義」，不釋「微言」。《朱子語類》說：「《左傳》是史家，《公》、《穀》是經學，史學者記事卻詳，於道理上便差；經學者於義理上有功，然記事多誤。」這裡所說的「義理」，當然是指儒家的「義理」。《穀梁傳》的文字雖不如《左傳》簡鍊而富艷豐潤，卻較《公羊傳》顯得清新婉約。

❖「鄭伯克段于鄢」

「鄭伯克段于鄢」是《春秋》經隱公元年的一條記事，只有這六個字。《左傳》對這件事的始末作了詳細的記敍，描寫了鄭莊公處心積慮殺掉其弟共叔段的事實經過，刻劃了鄭莊公詭詐陰險而又僞善的形象，把褒貶寓於對事實的記敍和人物形象之中，而不直接議論。《穀梁傳》並未敍述事實，只就這件事發表評論，寫了一篇文章。

這篇文章前段議論「鄭伯克段」的提法，段是世子卻不稱公子，是同母弟卻不稱弟，而直呼其名，因爲他有失「子弟之道」，「克」是用武力征服對方，用這個字就表明段有軍隊，是被武力戰勝的。這是對段的「貶」。但是，文中間以「賤段而甚鄭伯也」一句一轉，後段就直接議論《春秋》這段記事貶鄭伯之惡：「何甚乎鄭伯？甚鄭伯之處心積慮，成於殺也。于鄢，遠也。猶曰取之其母懷中，而殺之云爾，甚之也。」這是說，鄭伯處心積慮，故意設謀定計，助長穀的驕縱之心，製造滅段的口實，然後在很遠的地方把段殺掉，可是這和從母親懷中奪過來殺掉一樣。結句說道：「然則爲鄭伯者，宜奈何？緩追、逸賊，親親之道也。」《穀梁傳》作者認爲，鄭伯應該寬緩其追逐，放走作亂的叛國者，才符合「親親之道」。所謂「親親」，即親其所親，是儒家的倫理道德。作者批評鄭莊公處心積慮殺弟，違反了倫理道德。

從這段文字可以看出，本文不記事，而就《春秋》所記之事加以評論，來發揮儒家的義理。這與《左傳》的體例有明顯的不同。

從這段文字也可以看出，《穀梁傳》與《公羊傳》都是逐層逐字釋義理的，而《穀梁傳》重在釋「大義」而不深究「微言」。

《穀梁傳》中也偶有篇段記事。如僖公二年「虞師晉師滅夏陽」一段，全文敍述文字較多，而且具體生動。但這樣的文字，在《穀梁傳》中是不多的。

《春秋》三傳中，《穀梁傳》的影響較小，這裡也不多介紹了。

注釋

①見楊伯峻《春秋左傳注序》。

②《論語・子路》。

③朱熹《朱子語類・春秋一》。

推薦閱讀書目

·《春秋左傳正義》　晉·杜預注、唐·孔穎達等正義。《十三經注疏》本。
·《春秋左傳注》　楊伯峻撰，中華書局，一九八一年本。
·《春秋左傳史稿》　沈玉成、劉寧著，江蘇古籍出版社，一九九二年六月。
·《春秋左傳辭典》　楊伯峻編，漢京文化事業公司，一九八五年一月。
·《論左傳》　胡念貽撰，收《先秦文學論集》，中國社會科學出版社，一九八一年本。
·《春秋公羊傳注疏》　漢·何休注、唐·徐彥疏，《十三經注疏》本。
·《春秋公羊傳今注今譯》　李宗侗撰，台灣商務印書館，一九七三年五月。
·《春秋繁露》　漢·董仲舒撰，《四庫全書》本。
·《春秋公羊通義》　清·孔廣森撰，《清經解》本。
·《春秋公羊經何氏釋例》　清·劉逢祿撰，《清經解》本。
·《春秋穀梁傳注疏》　晉·范寧注、唐·楊士勛疏，《十三經注疏》本。

·《穀梁申義》 清·王闓運撰，光緒十七年刻本。

·《春秋三傳比義》 傅隸樸撰，中國友誼出版公司，一九八四年重印台灣本。

第7章

《論語》

《論語》是一部語錄體的著作，記述孔子的言論行事及其少數弟子的言論行事。現存二十篇，四百七十餘章。「論」，是論纂的意思；「語」是言語的意思；《論語》的命名，就是指孔子及其弟子言論的匯編，其中主要是匯輯孔子的言論和行事，是研究孔子和儒家思想本源的重要資料。

《論語》又簡稱《論》，或《語》，前十篇爲上編，稱《上論》，後十篇爲下編，稱《下論》。在戰國和漢初流傳時，並不是「經」，是當作附在「經」後的「傳」或「記」的；不過，在所有的「傳」、「記」中是最重要的「傳」或「記」。從戰國年間開始，儒家學派辦學，一直當作重要的教材。學童經過啓蒙識字教育之後，不讀五經先必讀《論語》，這一教學程序，一直延續到清朝末年。漢代把孔子擡到崇高的神聖地位，輯錄孔子言論和行事的《論語》，也便定為經書，以後一直是九經、十二經、十三經之一。宋朝的朱熹又把《論語》和《孟子》、《大學》、《中庸》合編為「四書」，明、清兩代是科舉用書，每個讀書人都必須背熟，所以它是古代社會人人必讀的書。

第一節　孔子和孔門弟子

❖孔子生平

孔子（西元前五五一～前四七九年）名丘，字仲尼，春秋末年偉大的思想家、教育家、儒家學派創始人。他出生在魯國昌平鄉陬邑（今山東曲阜）一個沒落貴族家庭。他原是殷商的後裔，先祖孔父嘉是宋國宗室，在統治集團互相傾軋中被殺，後人避難逃亡魯國，三世而生孔子。孔子幼年時家境已經衰微，青年時代做過委吏（倉庫管理員）、乘田（畜牧管理員）之類小吏。他聰敏好學，志向遠大，喜好古代文獻，學識淵博，名冠鄉里。中年開始授徒講學，聞名魯國，曾出任魯國中都宰、司空、大司寇，攝行相事三個月。

孔子生活在春秋末期的社會大變革時代，他提出一套以「仁」爲核心，以「禮」爲手段，「祖述堯舜，憲章文武」的政治主張。這些主張魯國當政者不能接受，他便率領弟子周遊列國，宣傳他的學說。他走遍了大小國家，沒有一個國君採納他的主張。他到處碰壁，晚年返回魯國，以整理文獻、教授學生終其一生。

孔子偉大的貢獻，是他搜集整理了大量古代文獻，使之得以流傳和保存下來；他創辦了中國第一所私學，總結出豐富的教學經驗；他創始了歷史上最大的學派儒家學派，繼承、改造和發展了他的思想學說，成爲中國傳統社會的主流思想，對中國歷史發展起著極爲重大的影響。從漢代開始，孔子被歷代統治者尊奉爲「聖人」、「至聖先師」、「大成至聖文宣王」，他被神聖化，成爲人們心目中的偶像。

❖孔子的形象

《論語》主要是記孔子言論和行事，通過孔子的自述以及弟子們的記述，我們可以看到實際生活中的孔子。

孔子自述說：「吾十有五而志於學，三十而立，四十而不惑，五十而知天命，六十而耳順，七十而從心所欲，不逾矩。」（〈爲政〉）這是說他十五歲有志於學習，三十歲明禮儀，言行都有把握，四十歲掌握各種知識而不致迷惑，五十歲知天命，六十歲聽別人言語可以明辨是非，七十歲隨心所欲而不會越出規矩。他又說：「十室之邑，必有忠信如丘者焉，不如丘之好學也。」（〈公冶長〉）他自稱好學是他最大的特點。他說他最擔憂的是「德之不修，學之不講，聞義不能徙，不善不能改。」道德修養和學習是他自強不息、身體力行的兩件事，他說爲此自己「發憤忘食，樂以忘憂，不知老之將至」，「蓋有不知而作之者，我無是也；多聞，擇其善者而從之，多見而識之，知之次也。」把學習、修身和實踐結合起來，對自己「學而不厭」，對別人「誨人不倦」：「若聖與仁，則吾豈敢？抑爲之不厭，誨人不倦，則可謂云爾已矣。」能夠這樣，即使是「飯疏食飲水，曲肱而枕之，亦樂在其中矣；不義而富貴，於我如浮雲。」（〈述而〉）他認爲，哪怕是吃粗糧，喝冷水，彎著胳膊當枕頭，也會自得其樂，不能做不正當的事去求取富貴。「富而可求也，雖執鞭之士，吾亦爲之。如不可求，從吾所好。」（〈述而〉）所以，還是做他樂於做的「學而不厭」與「誨人不倦」。

孔子懷抱濟世的理想，一生勞勞碌碌，政治主張不被採納，抱負不得施展，他喟然興嘆：「道不行，乘桴浮於海。」（〈公冶長〉）除了想編竹筏渡海遠走，他還想「居九夷」（〈子罕〉）。話雖是這麼說，孔子還是期望能夠用世的：「尚有用我者，期月而已可也，三年有成。」（〈子路〉）可惜，並沒有執政者任用他，他不禁感慨道：「知我者其天乎？」

「道之將行也歟？命也。道之將廢也歟？命也。」他窮困潦倒，在陳絕糧，從人餓病了爬不下牀，子路問他：「君子亦有窮乎？」他回答說：「君子固窮，小人窮斯濫矣。」（〈衞靈公〉）他認爲君子也有窮困的時候，但雖窮仍能堅持志節，小人一窮就無所不爲了。〈泰伯〉又說：「篤信好學，死守善道。危邦不入，亂邦不居。天下有道則見，無道則隱。」他的主張是：信仰、學習，誓死保全道，不進入危險的國家，不居住禍亂的國家，天下有道就出來做事，一展抱負，天下無道就隱居，明哲保身，安貧樂道。

〈鄉黨〉還比較詳細地記述了孔子的日常生活，包括衣食起居、儀表態度和待人接物。從這些生活細節，也勾畫出孔子的性格。

孔子平時穿著樸素，夏季穿粗或細葛布單衣，把襯衣露在外面，不用紅、紫色；冬季皮襖較長，爲了實用，右袖短些；爲了節省工料，裙子不用整幅布而裁下一些布。但又注意顏色的調和，黑衣配紫羔，白衣配麑裘、黃衣配狐裘；朝賀穿禮服，上朝和祭祀不穿戴紫羔和黑色禮帽。齋戒沐浴，必穿布質浴衣，並且改變平常飲食，不與妻室同房。

「食不厭精，膾不厭細」，霉爛、腐爛、顏色難看、氣味難聞、烹調不當、沒有調料、不按規定方法分解的肉、買來的酒和肉乾，以及不到該吃飯的時間，都不吃；吃肉不超過主食，酒不限量但不醉，不過飽。這些都是講求飲食衛生。

食不語，寢不言。席，不正，不坐。寢不尸，居不客。宴會畢，讓老年人先出，遇人喪事正容表示同情，亡友無人殯葬則負責殯葬，與人交往注意禮貌和禮儀。外出登車，先正立，然後拉著扶手帶上車；在車內不回顧，不疾言，不用手指指畫畫。這些都是講求儀表端莊正派。

孔子愛好音樂，「子在齊，聞《韶》，三月不知肉味。」他講標準話，不講土語，「子所雅言，《詩》、《書》、執禮，皆雅言也。」不談怪、力、亂、神。在鄉黨中因輩份不高，所以態度謙虛很少說話；在朝廷裡則暢談所見，侃侃而言，但措辭謹慎；見君則恭敬、嚴肅而自然。他的學生說他待人接物的態度是「溫、良、共、儉、讓」。

在孔子弟子的心目中，孔子的形象是高大的。子貢說：「譬之宮牆，賜（子貢名）之牆也及肩，窺見室家之好；夫子之牆數仞，不得其門而入，不見宗廟之美，百官之富。得其門者，或寡矣。」又說：「夫子之不可及也，猶天之不可階而升也。」有人詆毀孔子，子貢又說：「仲尼不可毀也！他人之賢者，丘陵也，猶可踰也。仲尼，日月也，無得而踰焉。人雖欲自絕，其何傷於日月乎？」（〈子張〉）顏回說：「仰之彌高，鑽之彌堅，瞻之在前，忽焉在後。夫子循循然善誘人，博我以文，約我以禮，欲罷不能，既竭吾才，如有所立卓爾，雖欲從之，未由已也。」（〈子罕〉）

孔子生前是鬱鬱不得志的，當時人們對他也有毀有譽。據《論語》記錄，除了有些士大夫詆毀他，鄉里羣衆也有人持不同的看法。〈子罕〉記：「達巷黨人曰：大哉孔子，博學而無所成名。」一位老丈批評他「四體不勤，五穀不分，孰謂夫子？」（〈微子〉）同篇又記孔子讓子路向耕者打聽渡口，耕者不告訴他，並且譏笑孔子到處逃避壞人卻空談社會改革。對他到處奔碌遊說諸侯，也有人不理解：「丘何爲是栖栖者與？無乃爲佞乎？」（〈憲問〉）孔子在他的時代並不吃香。

❖孔門弟子

孔門弟子三千人，賢者七十二人，見於《論語》者二十七人，其中確實可考的二十二人。

顏回（西元前五二一～前四九〇年），字子淵，春秋末魯國人，是孔子最得意的弟子，《論語》中記錄孔子對他的許多讚美之辭。顏回聰敏好學，每次有人問孔子，其弟子中誰最好學，孔子必舉顏回。有一次孔子與子貢談起學習，子貢說：「賜也何敢望回？回也聞一以知十，賜也聞一以知二。」孔子說：「弗如也，吾與汝弗如也。」（〈公治長〉）孔子稱讚顏回安貧樂道：「賢哉回也！一簞食，一瓢飲，在陋巷，人不堪其憂，回也不改其樂，賢哉回也！」又稱讚他身體力行：「回也，其心三月不違仁；其餘則日月至焉而已矣。」（以上聖」。

〈雍也〉）「語之而不惰者，其回也歟！」（〈子罕〉）顏回死時，年僅三十一歲，孔子悲痛地嘆息道：「噫！天喪予！天喪予！」（〈先進〉）顏回被後儒列為七十二賢之首，尊為「復聖」。

曾參（約西元前五〇五～前四三六年），字子輿，春秋末魯國人。《論語》稱他「曾子」，是孔子學說的主要傳道者之一。他認為「夫子之道，忠恕而已」（〈里仁〉）。曾子弟子記述了他不少教誨學生的話：「吾日三省吾身，為人謀而不忠乎？與朋友交而不信乎？傳不習乎？」「慎終追遠，民德歸厚矣。」（以上〈學而〉）〈泰伯〉記錄曾子多段談話，有一段談君子「可以托六尺之孤，可以寄百里之命，臨大節而不可奪也，君子人與？君子人也！」「士不可以不弘毅，任重而道遠。仁以為己任，不亦重乎？死而後已，不亦遠乎？」傳說曾參是《大學》和《孝經》的作者，這未必可信，但對孔子學說確有所發揮。《大戴禮記》記有他的言行，他事親至孝，發展了孔子的孝道，提出「夫孝者，天下之大經」（《大戴禮解詁．曾子大孝第五十三》）。歷代尊曾參為「宗聖」。

子貢（西元前五二〇～？年），複姓端木，名賜，字子貢，春秋末衞國人。因為他曾長期隨侍孔子，《論語》中記孔子與子貢對答最多。子貢長於辭令，擅長外交，孔子稱讚他是「瑚璉」之器。〈先進〉說：「賜不受命，而貨殖焉，億則屢中。」這是說子貢善於經商，預測市場行情常常正確。《史記．仲尼弟子列傳》記他曾在衛國和魯國做官，也曾遊說齊國和吳國，但後來還是經商，成爲當時著名富商。《史記．貨殖列傳》列他爲首，稱他「家富累千金」。他說：「君子之過也，如日月之食焉；過也，人皆見之，更也，人皆仰之。」這句話在後世很有影響。子貢對孔子十分景仰，孔子死，結廬墓旁，守喪六年始去；今曲阜孔林仍有遺迹。

子夏（西元前五〇七～？年），姓卜名商，字子夏，春秋末衛國人，以文學著稱，精通《詩》、《春秋》、《易》、《禮》，常與孔子對答，以才思敏捷而深得孔子讚許。他曾任魯國莒父（今山東莒縣西）宰，問政於孔子。〈子張〉記錄子夏言論十多條。「大德不踰閑，小德出入可也」，主張大節不可踰越，小節可以放鬆一些；「仕而優，則學；學而優，則仕」，「優」是有餘力的意思，這段話本來是主張做官有了餘力便去學習，學習有了餘力便去做官。後人把「優」釋爲「優良」，把「學而優則仕」解釋爲學習好做官，與原意相距很遠。他還說：「百工居肆以成其事，君子學以致其道。」「博學而篤志，切問而近思，仁在其中矣。」他認爲博學是爲了篤志、明道，是達到「仁」的途徑。孔子死後，子夏收徒講學，其後學成爲儒家的一個學派。

子游（約西元前五〇六～？年），姓言名偃，春秋末吳國人，以文學著稱。曾任魯國武城（今山東費縣西南）宰。他根據孔子的「小人學道則易使」的思想，實行禮樂教民，孔子去武城，聞滿城皆弦歌之聲。他說：「喪致乎哀而止」，認爲喪葬能夠表達哀思也就夠了，主張節喪。其後學在戰國也形成儒家的一個學派。

子路（西元前五四二～前四八〇年），名仲由，字子路，通稱季路，春秋末魯國人。他是最親近孔子的弟子之一，曾長期隨侍孔子，在孔子弟子中年齡最長，性格耿直，有勇力才藝。曾任魯國大夫季氏宰和衛國孔悝邑宰，孔子稱讚他的政事才幹，說他「片言可以息獄者，其由也與！」（〈顏淵〉）「千乘之國可使治其賦」（〈公治長〉），認爲他的才幹可以作一國的宰相。據《史記・仲尼弟子列傳》，衛國宮廷發生政變時，他「食其食者，不避其難」，不肯離去，在戰亂中，冠纓被擊斷，他想起孔子教誨的「君子死而冠不免」，重結纓帶時，被人砍成肉醬。孔子聽說後十分悲痛：「嗟乎，由死矣！」「自吾得由，惡言不聞於耳。」

子有（西元前五二二～前四五九年），姓冉名求，字子有，通稱冉有，春秋末魯國人，以政事著稱。《史記・仲尼弟子列傳》說孔子曾稱讚他「千室之邑，百乘之家，求也可使治其賦。」一在魯國任季康氏宰，魯哀公十一年（西元前四八四年），齊國攻魯國，子有統率季氏的甲兵，很得季氏信任，在他勸說下迎回在外十四年的孔子。〈先進〉記：「季氏富於周公，而求也爲之聚斂而附益之，子曰：『求，非吾徒也！小子鳴鼓而攻之可也！』」季氏是新興地主階級當權的暴發戶，子有依附季氏，幫助搜刮民財，孔子要學生們大張旗鼓去攻擊他。

宰予（西元前五二二～前四五八年），字子我，通稱宰我，春秋末魯國人，以言辭著稱。孔子評論他說：「始吾於人也，聽其言而信其行；今吾於人也，聽其言而觀其行，於予與改是。」（〈公冶長〉）這是指宰予有言行不一的缺點。同章又記「宰予晝寢。子曰：朽木不可雕也，糞土之牆不可杇也，於予與何誅？」宰予問三年之喪，認爲守孝三年太久，不如改爲一年，孔子批評他「不仁」。《史記．仲尼弟子列傳》說他任齊國臨淄大夫時，因參與弒君而被殺。

子張，複姓顓孫，名師，春秋末魯國（一說陳國）人。《論語》多章記他向孔子問學，〈子張〉記錄他幾段言論。其一曰：「士見危致命，見得思義，祭思敬，喪思哀，其可已矣。」其二曰：「執德不弘，信道不篤，焉能爲有？焉能爲亡？」其三是論交友：「君子尊賢而容衆，嘉善而矜不能。我之大賢與，於人何所不容？我之不賢與，人將拒我，如之何其拒人也？」其後學成爲儒家的一個學派。

公冶長，公冶是複姓，字子長，齊國（一說魯國）人。他在監獄裡的時候，孔子把女兒嫁給他：「可妻也，雖在縲絏之中，非其罪也。」（〈公冶長〉）

閔損，字子騫，魯國人。孔子稱讚他的孝行：「孝哉閔子騫，人不間於其父母昆弟之言。」（〈先進〉）世傳其早年喪母，父娶後妻又生二子，後母虐待閔子，冬季以蘆花絮其襖。閔子爲父推車，寒不能前，父怒鞭之，衣破而蘆花見，父欲出其後妻，閔子泣諫而止。這是有名的孝子傳說。他除孝行爲世稱道，也以德行著稱，《列傳》說他「不仕大夫，不食汚君之祿」。

冉耕，字伯牛，魯國人，以德行著稱。《論語》僅一章記及伯牛患惡疾，孔子往視時其脈息將絕，早亡。

冉雍，字仲弓，魯國人，以德行著稱，其德才爲孔子所器重。曾任季氏宰，但孔子認爲「雍也可使南面」。《論語》記錄他向孔子問仁、問政。荀子把他和孔子並列爲大儒。

司馬牛，複姓司馬，字子牛。春秋末宋國人。《論語．顏淵》記司馬牛向孔子問仁、問君子。他的弟弟桓魋在宋國作亂，司馬牛憂曰：「人皆有兄弟，我獨無！」

樊須，字子遲，通稱樊遲，齊國（一說魯國）人，《論語》中凡五見。他向孔子問知、問德、問仁，有一次向孔子請學稼、學圃，孔子說「小人哉，樊須也！」認爲他沒有大志（〈子路〉）。

原憲，字子思，魯國人，爲孔子家宰，以安貧樂道著稱。《論語》僅記他向孔子問恥。孔子卒後退隱於衞國。

公孫赤，字子華，又稱公孫華。魯國人，嫻習禮樂，長於交際，《論語》僅三見。

有若，姓有名若，稱有子，《論語》記錄他四段言論。第一段論孝悌：「其爲人也孝弟，而好犯上者鮮矣；不好犯上而好作亂者，未之有也。君子務本，本立而道生。孝弟也者，其爲仁之本歟！」（〈學而〉）第二段論和：「禮之用，和爲貴。先王之道，斯爲美，小大由之。有所不行，知和而和，不以禮節之，亦不可行也。」（〈學而〉）前些年，許多人曲解了「和爲貴」，其實，「和」在這裡是適當、恰當的意思，他是說禮以做得適當、恰當爲可貴，先王治理國家，大處小處都做得恰當，有行不通的地方，照恰當的要求去做，不用禮來約束是不行的。第三段論信和恭：「信近於義，言可復也。恭近於禮，遠恥辱也。因不失其宗，亦可宗也。」第四段是「哀公問於有若曰：『年飢，用不足，如之何？』有若對曰：『盍徹乎？』曰：『二，吾猶不足，如之何其徹也？』對曰：『百姓足，君孰不足？百姓不足，君孰由足？』」這些言論都能發揮孔子學說的精義。

宓不齊，字子賤，《論語》僅一見。

南宮適，一作南宮括，字子容，孔子的侄女婿，《論語》凡三見。

高柴，字子臯（羔），《論語》僅二見。

雕漆開，字子開，《論語》僅一見。

以上二十二人爲可考者，孟懿子、孟武伯也曾向孔子問學，卻不一定是弟子。《論語》主要記錄孔子的言論行事，也兼及上述弟子的言論行事。

第二節　今、古文《論語》和注本

關於《論語》成書的時代，《論語》的流傳，今、古文版本，都是歷代討論的問題。自古以來，《論語》注釋本不下三千種之多，因而需要作重點說明。

❖《論語》成書的時代

《論語》現存二十篇，四百七十餘章，其中大部分是孔子的言論和行事，基本上都是孔子的學生記錄的。孔子與不同學生的談論和學生見到孔子的行事，分別由學生在當時記錄，或後來追記下來。從這些章節尊稱「子」、「子曰」、「夫子」，可以證明，它們決非孔子自己寫的；由此也可以推斷：這些章節最初記錄的時間，是在春秋末年孔子生前或死後不久。孔子學生的言論行事，基本上是由他們的學生記錄下來的，這從這些章節屢用「曾子曰」、「有子曰」之類尊稱，可以證明是他們的學生所記，並可以推斷其記錄時間大致在春秋末年及春秋戰國之交的一段時間。

《漢書・藝文志》說：「《論語》者，孔子應答弟子時人及弟子相與言而接聞於夫子之語也。當時弟子各有所記，夫子既卒，門人相與輯而論纂，故謂之《論語》。」這段話比較籠統，只說是在孔子死後其門人輯纂的。《釋文・敍錄》引申說：「……當時弟子各有所記，夫子既終，微言已絕，弟子恐離居以後，各生異見，而聖言永滅，故相與論撰。」話是說明白了，但說是孔子的學生在老師死後大家分散之前共同編纂的，卻又說錯了。

《論語》四百七十餘章不但不是一個人記的，而且其前後相距年代不止於三、五十年。曾參是孔子最年輕的學生，孔子死時曾參才二十六歲，曾參活到七十歲，那時，孔子死後已經四十六年，《論語》中有一段是記錄曾子臨死前與魯國孟敬子的談話，那時孔子的其他門人大概都死了。《論語》中時間最晚的記錄，無疑是曾子的門人記的，書中除了記孔子的言論行事最多外，其次就是曾子，而且處處用尊稱，所以有人推論是由曾子門人最後編纂的；書中有一些章節前後重複出現於不同篇次，可證編纂者也不是一人。就內容來考查，只能在西元前四二九年之後，因為曾參死於西元前四三六年，與他談話的孟敬子在西元前四二九年還從事政治活動，而敬子是謚號，因而只能寫在孟敬子死亡受謚之後。

由從這些考證來看，今人楊伯峻推定《論語》成書在西元前四〇〇年左右，這個推論基本是可信的。我們可以認定《論語》是在戰國初期由曾參的門人編纂的。

❖今文《論語》和古文《論語》

漢代流行的《論語》，也有今文和古文之分。

今文《論語》有兩家，魯人所傳者稱《魯論》，齊人所傳者稱《齊論》。《魯論》二十篇，《齊論》凡二十二篇。《齊論》多出的兩篇，《漢書・藝文志》自注曰：「多〈問王〉、〈知道〉」；學者們又懷疑「問王」爲「問玉」之誤。不過這兩篇今皆不存，是非已很難稽考。魏・何晏《論語集解序》說：「《齊論》二十二篇，其二十篇中，章句頗多於《魯論》」現在我們只能知道《齊論》的訓釋之詞較多。

古文《論語》只有一家，據說是和古文《尚書》一同爲魯恭王壞孔子故居壁中發現。這事和古文《尚書》一樣眞僞難辨，我們可以不再管前人的這些糾纏不清的筆墨官司。《漢書・藝文志》記「《論語》古二十一篇，出孔子壁中，有兩〈子張〉」。《古論》的篇名比《魯論》多一篇，這是把〈堯曰〉篇的「子張問」另分爲一篇。《古論》與《魯論》、《齊論》不同，文字也有四百多字不同。《魯論》、《齊論》最初各有師傳，相信《古論》的人較少。

我們現在流傳的版本，不是《魯論》，不是《齊論》，也不是《古論》，而是《張侯論》。張侯，指西漢末年安昌侯張禹，他先傳《魯論》，又講習《齊論》，於是把這兩個版本融合爲一，篇目以《魯論》爲根據，稱爲《張侯論》。張禹是漢成帝的師傅，地位尊貴，他的這個本子便流行天下，爲一般儒生所尊奉。東漢靈帝時代刻熹平石經，就是用的《張侯論》。

東漢末年鄭玄以《張侯論》爲本，參照《齊論》、《古論》作了《論語注》。魏代何晏又以鄭玄注爲本，作《論語集解》，這就是收在今通行宋本《十三經注疏》中的《論語》本子。

❖《論語》的注釋

《論語》內容豐富而文字簡約，這爲注釋和註解留下發揮的天地。古代釋《論語》的書達三千餘種，下面只能擇其最主要的略作敍錄。

《漢書・藝文志》記漢人傳授《論語》十二家、二百二十九篇；《隋書・經籍志》補記漢時周威、包氏爲《張侯論》作章句，馬融作訓詁；但這些注釋已經全部亡佚。東漢末鄭玄作的《論語注》，現殘存一部分，尚可看到《齊論》、《魯論》、《古論》的一些面貌。

《隋書・經籍志》記魏司空陳羣、太常王肅、博士周生烈均曾撰《論語》義說，均亡佚。魏・何晏等所撰《論語集解》，尚存。

《論語集解》撰者何晏、孫邕、鄭沖、曹羲、荀凱五人，「共集《論語》諸家訓注之善者，記其姓名，因從其義，有不安者輒改易之」，《集解》集孔安國、包咸、周氏、馬融、鄭玄、陳羣、王肅、周生烈等漢魏各家古注，是現存最古注本。梁．皇侃爲《集解》又作《論語義疏》。皇侃《義疏》又集魏晉數十家之說爲何晏《集解》申說，唐代傳入日本爲日人所重。

宋．邢昺爲何晏《集解》重作新疏（《四庫全書》）作《論語正義》），邢疏「翦皇氏之枝蔓而精傅以義理」，詳於章句訓詁和名器事物，「其薈萃羣言，創通大義，已爲程朱開其先路矣」（《鄭堂讀書記》）。宋人編《十三經注疏》，所收《論語》即爲何晏集解、邢昺正義，合稱《論語注疏》，一直通行至今。

南宋朱熹以《大學》、《中庸》、《論語》、《孟子》合編「四書」，爲之集注。其中，《論語章句集注》，訓詁、義理並重，也較爲通俗易解。朱注是明、清兩代科舉用書，爲讀書人所本，影響很大，但理學氣味較濃。

清人《論語》注疏、義理研究之書甚多。毛奇齡《論語集求篇》專爲駁斥朱熹《章句》之作。本書旁徵博引，資料宏富，於禮儀、軍制、方名、象數、文體、詞例、反復推勘，以證朱注之謬，但其中也有的地方强生枝節，半是半非，甚至有立論不足據者。

清人注疏中影響最大的是劉寶楠的《論語正義》，他以爲皇疏「多涉淸玄，於宮室衣服諸禮，闕而不言」，而邢疏「又本皇氏，別爲之疏，依文衍義，益無足取」（《後序》）。《正義》打破漢學宋學的門戶之見，不守一家之言，廣泛徵引，擇善而從，力求實事求是，折中大體得當。劉氏於道光八年（西元一八二八年）開始著述此書，一八五五年書將垂成時病故，由其子劉恭冕繼續撰寫，同治四年（西元一八六五年）全書寫定，前後歷時三十八年。這部書集前人注疏之大成，至今仍有較高的參讀價值。

近人楊樹達撰《論語疏證》，匯集三國以前古籍中與《論語》有關資料，排比於《論語》原文章句之下，間下己意以爲按語。主旨是以事例爲證，疏解《論語》古義，考訂是非，解釋疑滯，發明孔子學說。引書約七十種。陳寅恪《序》稱：「乃自來詁釋《論語》者所未有，誠可爲治經者闢一新徑，樹一新楷模也。」

近人錢穆詮釋《論語》的專著《論語新解》，以篇次爲序，對原文注釋、解析、串講並白話試譯，不乏新見，在港台及海外較流行。

近人程樹德撰《論語集釋》，是集古今《論語》注疏大成的名作，引錄典籍六百八十種，取捨謹嚴，博而不濫，凡一百二十萬言，體例周備，疏解詳明，便於披閱。

近人楊伯峻撰《論語譯注》，包括原文、注釋、譯文、餘論四部分，並附《論語辭典》，是當代較好的白話譯本，流傳廣泛，但仍有闕誤。《導言》中對《論語》的命名、作者和時代、版本的眞僞等問題，進行了論證和說明，可作一家之言。近年爲補楊氏譯注闕誤，又有多種譯本出版。

第三節 《論語》論仁

孔子集三代文化之大成，建立了一個比較完整的社會倫理學說的思想體系。「仁」是孔子學說的核心。

《論語》二十篇，談論「仁」的有五十八章，用「仁」字一○九次，「仁」字從象形字演化而來，《說文》釋爲「從人，從二」，《禮記》鄭玄注認爲「人」是「相人偶」之意，即用以協調人與人之間的相互關係。孔子的「仁」，從這個角度來看，也可以說是一種人際關係學。「仁」又是孔子最高的理想人格，從這個角度來看，孔子的「仁學」又可以說是一種道德論。

❖愛人和忠恕

《論語》中孔子談論「仁」的地方很多，雖沒有給「仁」下一個明確的定義，但「樊遲問仁。子曰：愛人。」（〈顏淵〉）「愛人」二字，可以作爲對「仁」的簡要概括。「愛人」，就是對別人有同情心，有關心他人的眞實感情，也即郭沫若所說：「克己而爲人的一種利他的行爲。」①有一次馬廄失火，孔子回來首先問：「傷人乎？」（〈鄉黨〉）那時一匹馬比一個奴隸要貴，但孔子首先關心的是人。《孟子．梁惠王上》還記孔子曰：「始作俑者，其無後乎？爲其象人而用之也。」對以土俑木俑殉葬，孔子都是反對的，因爲俑像人，詛咒發明以俑殉葬的人應該斷子絕孫。他明確地提出：「泛愛衆，而親仁」（〈學而〉），「泛愛」，就是博愛，孔子提出的愛的對象不是指某一個階級、階層的人，而是指大衆。孔子主張把人當人看待，普遍地給予關懷和同情，繼承了從氏族社會的原始民主到西周以迄春秋統治階級的保民思想，發展完善爲一個完整的仁學體系。

如何實現「仁」——即「愛人」呢？〈里仁〉記錄曾參對孔子的「吾道一以貫之」所概括的一句話：「夫子之道，忠恕而已矣。」「忠恕」之道，就是孔子提倡的實現「仁」的方法。何謂「忠」？「盡己之謂忠」，即積極而眞心實意爲他人效勞之意。孔子說：「夫仁者，己欲立而立人，己欲達而達人。能近取譬，可謂仁之方也已。」（〈雍也〉）所謂「己欲立而立人，己欲達而達人」，就是自己要站得住，也要使別人站得住；自己要事事行得通，也要使別人事事行得通。何謂「恕」？孔子說：「其恕乎？己所不欲，勿施於人。」（〈衞靈公〉）自己不願意接受的，也不要施加於別人，就是「恕」。孔子提出的爲仁之方，有積極的「忠」和消極的「恕」兩方面的意義，宋儒把它概括爲「推己及人」四字；處理個人與他人的關係，做什麼或不做什麼，能夠設身處地替別人盡心，這就是「愛人」。

❖孝悌爲仁之本

仁者愛人，從哪裡開始？〈學而〉記錄有子的一段言論：「其爲人也孝弟，而好犯上者鮮矣；不好犯上，而好作亂者，未之有也。君子務本，本立而道生。孝弟也者，其爲仁之本與！」爲什麼以孝悌爲根本呢？孟子曾解釋說：「孩提之童，無不知愛其親，及其長也，無不知敬其兄。」（《孟子．盡心上》）親愛親人，是人的本性，也就是仁的開端。父母是生我養我的，所以以「孝」表示愛；兄弟姊妹與我同爲父母所生，所以以「悌」表示愛；夫婦爲一體，所以以「義」表示愛；推廣到與我相交的朋友，則以「信」、「友」表示愛；再推廣到與我同類的人和生物，則有憐憫、同情之愛。這不同層次的愛，是從「親親」開端，所以說：「親親而仁民，仁民而愛物。」（〈盡心〉上）能夠親愛親人，推而廣之，就能仁愛百姓，仁愛百姓，也就能愛惜萬物。

在孔子的仁學中，孝悌也是立國之本。這個命題，是和宗法制密切聯繫在一起的，因爲依照以血緣關係爲基礎的宗法制，天子是諸侯國的宗主，諸侯是該國公卿的宗主……整個貴族階級被組織在宗法制的社會制度之內，規定了親疏尊卑的關係，所以孔子說：「孝慈則忠。」（〈爲政〉）又說：「出則事公卿，入則事父兄。」（〈子罕〉）對父母盡孝，對君必能盡忠；在家敬兄，在外必能敬公卿尊長。由孝悌推而廣之，可以有慈，有義、有信、有忠；從親親之愛做起，推而廣之，可以爲友愛，爲博愛，以至忠國和仁民。所以，實行「仁」，必須以孝悌爲前提，以孝悌爲基礎。

《論語》論孝的言論十七條，其中個別的是孔子學生的發揮，也本孔子的思想。這十七條主要包括父母生前的「孝道」和父母死後的「孝道」。

孔子繼承而且發展了原始氏族社會「孝」的道德觀念，即子女有奉養父母和對父母尊敬服從的職責。孔子認爲，「孝」不僅僅是贍養父母。「子游問孝，子曰：今之孝者，是謂能養。至於犬馬，皆能有養。不敬，何以別乎？」（〈爲政〉）人也養犬、養馬，如果只是養活父母而不尊敬，那又有什麼區別呢？「孟懿子問孝，子曰：無違。生，事之以禮；死，葬之以禮，祭之以禮。」「子夏問孝，子曰：色難。有事，弟子服其勞，有酒食，先生饌。」「孟武伯問孝，子曰：父母，唯其疾之憂。」（〈爲政〉）這是說要爲父母的疾病擔憂。「父母之年，不可不知也；一則以喜，一則以憂。」（〈里仁〉）既要爲父母年高而高興，又要爲此而擔憂，對他們的健康關心。可見孔子「孝」的學說，不僅僅滿足於養活父母，還有恭敬、順從、代爲幹活，獻上最好的吃喝、和顏悅色以及關心健康等各方面內容。孔子還說：「父母在，不遠遊，遊必有方。」（〈里仁〉）父母在堂，不要出遠門，以便在家侍奉，如果必須出門，也要說明一定的去處，以免父母惦記。「事父母幾諫，見志不從，又敬不違，勞而不怨。」（〈里仁〉）侍奉父母時，對父母的不是也可以委婉勸說，見父母不願聽從，還要恭敬不違，操勞而無怨言。

孔子也繼承傳統的喪禮和祭祀活動，主張「葬之以禮，祭之以禮」。他的學生宰我認爲守喪三年時間太長，建議改革爲一年，孔子罵宰我「不仁」，他說：「子生三年，然後免於父母之懷。夫三年之喪，天下之通喪也，予也有三年之愛於其父母乎？」（〈陽貨〉）「三年無改於父之道，可謂孝矣。」（〈里仁〉）三年守喪，已成爲中國社會的禮俗。這個主張不易做到，但孔子的出發點是要求以這種行動，表示對父母養育之恩長志不忘。他主張在祭祀祖先時要虔誠而恭敬，所謂「祭神如神在」。（〈八佾〉）他評論禹孝敬鬼神的事說：「禹，吾無間然矣，非飲食而致孝乎鬼神，惡衣服而致美於黻冕」（〈泰伯〉）。禹平日衣食簡陋，祭祀祖先卻穿得華美並盡量孝敬，他認爲這無可非議，因爲這表示尊敬。不過，他還是主張從儉的：「喪，與其易也，寧戚。」（〈八佾〉）喪事，如其在儀式上做得完備，不如心裡眞正悲哀。孔子認爲，喪祭的目的不在於祈求鬼神的福佑，而重在子女對父母的尊敬和哀思。當子路請教這個問題時，他說：「未能事人，焉能事鬼？」（〈先進〉）父母活著時，做子女的不能盡孝，父母死後，也就談不上孝敬鬼神了，因此落腳點還落在「事人」上。

❖克己復禮爲仁

〈顏淵〉第一章記錄：「顏淵問仁。子曰：克己復禮爲仁，一日克己復禮，天下歸仁焉。」「克」即克制；「己」指自己的思想言行，「復禮」即歸於禮。孔子認爲，有一天人們能夠克制自己的思想言行，使之歸於禮，天下就都歸於「仁」了。孔子在這裡說明：仁是應該受「禮」的限制的，也就是說，應該按照「禮」的規定去愛人。顏淵又問：「請問其目？」孔子說：「非禮勿視，非禮勿聽，非禮勿言，非禮勿動。」不符合「禮」的，不要看，不要聽，不要言，不要動，人人自覺地做到這一點，天下就歸於仁了。

孔子所說的「禮」，是西周初期制定的一套貴賤尊卑的等級制度及其行爲規範。按照這個制度和規範去愛人，根據人的尊卑、貴賤、親疏而區別對待。愛人決不能違背禮的規範，《論語》中這樣的話還有幾條，如「人而不仁，如禮何？」（〈八佾〉）「動之不以禮，未善也，」（〈衛靈公〉）前一條是說，人如果不仁，在形式上注意禮節儀式是沒有用的；後一條是說，一切活動如果不合於禮，都是不善的，當然也談不到「仁」。

所謂按禮的規定去愛人，也就是對人的愛有先後、厚薄。對尊者、貴者和親人，要愛之在先；對卑者、賤者和血緣疏遠的人，要愛之在後。如果以愛親之心去愛他人之親，用愛尊者、貴者之心去愛卑者、賤者，那就是不合於「禮」了；非「禮」的行爲不好，不是「仁」。孔子把對「君子」的愛和對小人的愛是有區別的。他說：「君子學道則愛人，小人學道則易使也。」（〈陽貨〉）孔子認爲，「小人」是不會懂得「仁」的，「君子而不仁者有矣夫，未有小人而仁者也」。（〈憲問〉）因此，他所說的「泛愛衆」、「博施於民」的「仁」，只是尊者、貴者對卑者、賤者的一種施予，一種恩賜，也就是他所說的「養民以惠」（〈公冶長〉），「惠則足以使人」（〈陽貨〉）；換句話說，是「君子」養活「小人」，其目的是有了恩惠，「小人」就容易聽從使喚。尊卑、貴賤、上下、親疏的等級制度是由禮來規範的，孔子認爲對「小人」施惠使之安於其等級身份，也正是仁。

很明顯，克己復禮爲仁，是把仁限定在封建和宗法的等級制度及其思想規範之內，而且維護等級制度。所以，孔子的愛人是不平等的，他的「泛愛衆」是以不平等爲基礎。我們說孔子的仁學包含有人道的成份，卻並不是近代人道主義，因爲近代人道主義是以博愛、平等爲原則的，其特點是打破等級制度，承認「人人生而平等」。

❖仁爲理想人格

「仁」是孔子提出的最高道德標準，也是孔子的理想人格。

孔子的理想人格就是要做仁人。〈述而〉記錄他與弟子談話時自謙地說：「若聖與仁，則吾豈敢！抑爲之不厭，誨人不倦，則可謂云爾已矣。」人的思想達到「仁」的境界，是最完善的人格：「苟志於仁矣，無惡也。」仁者「無惡」，自然是完善的。

「孝悌爲仁之本」，仁自然包括孝悌。〈陽貨〉又記錄「子張問仁於孔子。孔子曰：『能行五者於天下爲仁矣。……曰：恭、寬、信、敏、惠。恭者不侮，寬則得衆，信則人任焉，敏則有功，惠則足以使人。」這裡，仁包括恭、寬、信、敏、惠五種品德。

〈子路〉記錄：子曰：剛、毅、木、訥近仁。」這裡，仁又包括剛、毅、木、訥四種品德。

〈憲問〉記錄孔子說：「仁者必有勇，勇者不必有仁。」這裡，仁又包括勇的品德。

〈里仁〉記錄孔子說：「仁者安仁，知者利仁。」這裡，仁也是智者所爲。

〈里仁〉又記孔子說：「唯仁者能好人，能惡人」，「惡不仁者，其爲仁也。」這是說仁者愛憎鮮明，爲了仁而反對不仁。「仁」包括孝、悌、忠、信、恭、敬、智、勇等等美好的品德，孔子把具備「仁」的理想人格的人稱作君子。

〈微子〉記錄孔子談論殷代的三個歷史人物：「微子去之，箕子爲之奴，比干諫而死。孔子曰：殷有三仁焉！」微子是殷紂王的哥哥，他勸諫無道的紂王，不被採納，他便離開紂王；箕子是紂王的叔父，也因爲勸諫紂王，被降爲奴隸；比干也是紂王的叔父，因爲勸諫紂王被殺。孔子讚美這三個人爲仁人，是讚美他們爲正義不懼怕惡勢力，而勇於獻身的自我犧牲精神。

〈衞靈公〉記錄孔子曰：「志士仁人，無求生以害仁，有殺身以成仁。」孔子認爲仁者應該有「殺身成仁」的決心和準備。

孔子的學生曾參也發揮孔子仁的學說說：「可以托六尺之孤，可以寄百里之命，臨大節而不可奪也，君子人與？君子人也。」「任重而道遠，仁以爲己任，不亦重乎？死而後已，不亦遠乎？」（〈泰伯〉）理想的人格就是以仁爲己任，死而後已。

孔子把整個天下的命運寄託於具有完善人格的仁人。〈衞靈公〉說：「民之於仁也，甚於水火。」他認爲在天下動亂、道義淪喪的當代，需要一批勇於爲仁而獻身的仁人君子。

❖修身達仁

怎樣才能達到「仁」的人格完善的思想境界呢？

首先，孔子認為，「仁」不是達不到的遙遠目標：「仁遠乎哉？我欲仁，斯仁至矣。」（〈述而〉）仁並非不可及的，只要想要仁，仁就來了。

孔子認為，「仁」要靠堅持力行。〈里仁〉記錄孔子說：「君子無終食之間違仁，造次必於是，顛沛必於是。」又說：「有能一日用其力於仁乎？我未見力不足者。」只要用自己的力量去行仁，不會有力量不足的。他又說：「巧言令色，鮮矣仁。」（〈學而〉）花言巧語裝笑臉的人是沒有什麼仁的，要靠實際去做。〈衞靈公〉記「當仁不讓於師」，對於仁，應該有這種「當仁不讓」的精神。

孔子認為，人們各有其行仁之道。子路和子貢都提出管仲的問題：齊桓公逼殺了弟弟公子糾，原來輔佐公子糾的管仲不但不死難，反而做了齊桓公的相，這是不是仁呢？孔子說：「桓公九合諸侯，不以兵車，管仲之力也。如其仁，如其仁！」他又說仁不仁要看大節：「管仲相桓公，霸諸侯，一匡天下，民到於今受其賜。微管仲，吾其被髮左衽矣。豈若匹夫匹婦為之諒也，自經於溝瀆而莫之知也。」（〈憲問〉）他回答關於伯夷、叔齊的問題也說：

這兩個人互相推讓不肯做國君，跑到國外去，是「求仁得仁」（〈述而〉）。

孔子認爲，要達到仁的思想境界，必須學習。他說：「好仁不好學，其蔽也愚。」（〈陽貨〉）不學習的弊害是愚，那就談不到仁了。「博學而篤志，切問而近思，仁在其中矣。」（〈子張〉）廣博地學習，堅定志向，懇切地詢問和思考當前的問題，從學習和思辨中來求仁；也就是說，只有修身，才能達到仁。

孔子認爲，修身達仁，還要注意環境和朋友的熏陶。「里仁爲美。擇不處仁，焉得知？」（〈里仁〉）這是指擇鄰。「工欲善其事，必先利其器。居是邦也，事其大夫之賢者，友其士之仁者。」（〈衞靈公〉）這是指擇友。擇鄰和擇友，都是爲了修身達仁。

按照孔子的理論，從多方面修身，力行實踐，人人都可以達仁。

第四節 《論語》論禮

《論語》論禮之處，凡七十五條，是全書的重要內容之一。

禮的範圍很廣，上自宗法社會政治、經濟、軍事、文化各方面的典章制度，下至人們的生活日用、風俗習慣和行爲規範。因此，《論語》論禮，也涉及到許多方面。

禮，不是孔子的創造。它由原始氏族社會的習俗和規範發展而來，反映氏族成員相互之間、成員個人與氏族集體之間關係的準則；到階級社會，又經過統治階級不斷地補充、改造和發展，其中既保存了氏族社會原始的習俗和禮儀，又增加並且突出了宗法等級制度的內容，成爲奴隸制社會的上層建築。西周建國初期，由周公姬旦主持制訂的周禮，內容是最爲詳密而完備的。我們在本書第五章已經對《周禮》、《儀禮》和《禮記》作過介紹。這裡只談談《論語》中論禮的內容。

❖不學禮無以立

孔子所謂的禮，主要指遵守宗法等級秩序的生活規範和道德規範。他對禮的理解，是繼承西周以來的傳統認識的，但在這個基礎上，他又作了種種解釋，提到理論化。

孔子說：「立於禮」（〈泰伯〉），指依靠禮方能站住腳根，他又反復多次說：「不學（知）禮，無以立」（〈季氏〉），都是說學禮、知禮是做人的根本。〈泰伯〉記：「子曰：恭而無禮則勞，愼而無禮則葸，勇而無禮則亂，直而無禮則絞。」這是說，只是態度莊重而不知禮，就未免徒勞；只知謹愼而不知禮，就會畏縮；敢作敢爲而不知禮，就會闖禍；心直口快而不知禮，就會尖刻刺人。孔子認爲，恭、愼、勇、直這些品格都要用禮來指導，才會起好作用，否則卻會起壞作用。〈雍也〉：「君子博學於文，約之以禮，亦可以弗畔矣夫。」這是說，君子不但要博學增長知識，還要用禮約束自己的行爲，這樣能夠循規蹈矩，不犯錯誤。

孔子所遵守的禮是周禮。「周監於二代，郁郁乎文哉！吾從周！」（〈八佾〉）「殷因於夏禮，所損益可知也；周因於殷禮，所損益可知也；其或繼周者，雖百世，可知也。」（〈爲政〉）他是說：殷禮繼承了夏禮，在內容上作了一些增減；周禮繼承了殷禮，在內容上又作了一些增減，將來繼承周禮的，也不過再作一些增減，基本內容傳一百代也就是這樣了。周禮是集三代大成的，內容多麼豐富美好啊，我是遵從周禮的。

孔子青年時代就用功學禮，「子入太廟，每事問。」（〈八佾〉）問的是禮儀上的事。帶弟子周遊列國，途中在大樹下也要習禮。他自己從日常生活到供職朝廷，都處處恪守周禮。「席不正不坐」；待人接物講究禮節；祭祀虔誠；對君主恭敬，君主召見，不等備車就步行前往；「君賜食，必正席先嘗之；君賜腥，必熟而薦之；君賜生，必畜之。……」（〈鄉黨〉）魯國季氏八佾舞於庭，又去祭泰山，僭越了身份，孔子大發雷霆；「是可忍也，孰不可忍也？」（〈八佾〉）齊國陳恒弒君，他請求魯哀公出兵討伐。（〈憲問〉）他認爲，應該處處守禮，對違禮的現象堅決反對和制止。

禮是尊卑有序、貴賤有等的，孔子强調守禮，並不是單單對上層統治階級而言，也不是單單對下層被統治階級而言，而適用於所有的人。從天子到庶人，人人都必須守禮，都要「非禮勿視，非禮勿聽，非禮勿言」，按禮的規範來約束自己的行動。統治天下的天子，統治一國的國君，也要依禮而行，如果所行不合於禮，作臣的可以提出批評、諫勸，甚至可以不合作。孔子本人就曾是這樣的不合作者。禮既然是人人共同遵守的準則，因此人人就要學禮、知禮、節已修身來實行禮，所以孔子說：「不學禮，無以立。」

❖仁禮制約

把禮和仁兩個概念聯繫起來，認定禮是仁的表現形式，仁是禮的實質內容，這是孔子禮學在理論上的重大發展。在孔子之前，誰也沒有這樣深刻的認識。仁和禮，是裏和表，內容和形式，二者表裡相依，相輔相成。

在談到「克己復禮爲仁」的時候，他曾經說過：克制自己的思想感情使之合於禮，按照禮的規定去實行仁，根據人的尊卑、貴賤、親疏去有差等地愛人，即把仁限制在禮的框子之內。如果越出了禮的範圍，不分尊卑、貴賤、親疏都一樣對待，那就破壞了由等級制度所構成的社會秩序，會造成天下大亂。

禮又必須以仁爲內容，「禮云禮云，玉帛云乎哉！」（〈陽貨〉）孔子認爲，僅僅把禮作爲一種形式，是沒有什麼意義的。「居上不寬，爲禮不敬，臨喪不哀，吾何以觀之哉？」（〈八佾〉）做一個執政者卻對人不寬厚，執行禮儀內心卻不恭敬，參加喪禮內心卻不悲哀，這樣的事情怎麼看得下去呢？他又說：「與其奢也，寧儉；喪，與其易也，寧戚。」最重要的是發自內心的情感，不求奢侈、周到的形式。所以孔子主張「繪事後素」，以內心的仁的情感爲本，禮在其後。

正因爲仁禮互相依存，而且以仁爲本，他固然主張分別尊卑、貴賤、親疏等級，維護等級制度，可是對於殘民害民的昏君暴君的統治，對於奴隸殉葬制度等等現象，他是抨擊的，認爲昏暴的統治、殉葬、貴畜輕人等，都是不仁的行爲，也是不合於禮的，都應該反對。孔子仁禮制約的學說，從傳統的禮制中去掉了一些十分落後的內容。

❖尊尊親親

孔子認爲，尊尊親親是周禮中最重要的原則。

尊尊，就是尊重尊貴。這是政治原則。尊者，上也。在上位者謂之尊，它與卑是相對的，在下位者謂之卑；禮是等級制度，一層層的在上位者，對其下位者都是尊者。在天下來說，最尊者是天子，他是天下的共主；在一國來說，最尊者是國君，他是一國之主。貴與賤相對而言，貴指貴族，賤指爲貴族服役之人。尊貴者也是有等級的，禮制規定了不同等級的尊貴者享有不同的特權，從占有的土地數量，政治權柄的大小，到服飾、器物、日常享用的規格，都有嚴格的規定。尊尊，就是按照禮制的規定，尊重尊貴者的地位，服從他們的特權。這樣，人民服從貴族的特權，各級貴族各守本份的特權而服從比他更高一層的貴族特權。這樣來實行尊尊的原則，整個社會秩序的尊卑、貴賤關係嚴格而不亂，統治秩序就能夠穩定。

孔子認爲，如果取消了尊卑、貴賤等級，統治秩序會發生混亂，國將不成其爲國。尊尊，首先要尊君，「事君盡禮」（〈八佾〉），「事君能致其身」（〈學而〉）。所以，當季氏用了只有天子才能用的八佾樂舞，三桓奏了只有天子廟堂祭祀才奏的「徹」樂，他都氣憤地予以抨擊；當陳恒弒君奪權，他更要求出兵討伐了。其實，陳恒比他的國君開明得多，得到民衆擁護，但孔子認爲違背尊尊的忠君原則，爲維護禮制就必須討伐。

親親，就是親愛親族，這是宗法原則。親族按血緣關係也有親疏遠近之分，最親近的，是父母，其次是兄弟，所以親親以孝悌爲先。孝悌的內容，我們在前面已經講過。

孔子認爲，孝親，不但要順從和竭力孝敬父母，以及「三年無改於父之道」，還要「子為父隱」。〈子路〉記錄有一位葉公向孔子說，家鄉有個正直的人，父親偷了人家的羊，他親自去告發。孔子說這不是正直的品德：「父為子隱，子為父隱，直在其中矣。」孔子認為，按親親原則，父親應該為兒子隱瞞，兒子應該為父親隱瞞。這是提倡犯包庇罪了。孔子這種把家族利益當作最高利益的作法，充分顯示出宗法觀念的狹隘和鄙陋。③

為親者諱，也要「為上者、尊者諱」。魯昭公娶吳姬為妻，魯、吳同姓，同姓結婚是非禮的，魯昭公就將吳姬改稱吳孟子，人「問昭公知禮乎？子曰：知禮。」（〈述而〉）「為尊者諱」的思想，在歷史上也有長久的影響。

❖正名

為了貫徹尊尊親親的原則，孔子提出「正名」的原則。

所謂正名，即他所提出的「君君，臣臣、父父、子子。」（〈顏淵〉）意思是君要使自己符合君道，臣要使自己符合臣道，父要使自己符合父道，子要使自己符合子道。在君臣、父子關係上，每個人都要按自己的身份地位行事，使自己的言論和行為符合禮的規定。

孔子把正名學說用於政治倫理，他說：「名不正則言不順，言不順則事不成，事不成則禮樂不興，禮樂不興則刑罰不中，刑罰不中則民無所措手足。」（〈子路〉）把正名提高到治國成敗的高度。

所謂名分，實際是等級制度。春秋時期禮崩樂壞，社會急劇變化，出現「名實相怨」即名不符實的矛盾。孔子針對這種情況提出正名，目的是維護社會的等級、倫理關係，來挽救那個社會的崩潰。他認爲君、臣、父、子都按自己名份地位執行禮所規定的權利和義務，就會出現安定的社會秩序。

按名份去實行所規定的權利和義務，從這一點來理解正名，並不算錯。不過，孔子尊奉的是周禮，他要正的是周禮所定的尊卑、貴賤之名，在奴隸制向封建制急劇轉化的社會大變革時代，要求維護貴族階級特權，這無疑是落後、保守的。可是，這種正名學說根據實際需要稍作變通，又可以爲地主階級所用，所以孔子的正名和禮學學說，又爲封建地主階級所繼承而加以提倡。

第五節　《論語》論中庸

《論語》中提到「中庸」只有一次，但實際上，《論語》所記的孔子的全部理論和實踐，都貫徹了中庸思想，有的記述雖未提「中庸」之名，實際是在論述中庸思想。

孔子死後，他在戰國時期的門人，對中庸思想又進行發揮，較之孔子在《論語》的論述，內容大爲豐富，而且系統化、理論化，寫成〈中庸〉一篇，收進《禮記》，後來又被朱熹編爲四書之一，成爲儒家重要的經典（見本書第五章第三節）。我們這裡只談《論語》中關於中庸的論述。

《論語》中提到「中庸」二字的這一條在〈雍也〉篇：「中庸之爲德也，其至矣乎！民鮮久矣。」孔子把中庸作爲最高的道德，而且認爲當時的人們很少具備這種道德。在這裡，孔子是把中庸作爲人人應該具備的一種品德。其實如果作比較確切的表述，應該說中庸是一種方法論，是孔子對待事物的矛盾所持的根本態度。禮是仁的形式，仁是禮的內核，中庸則是使內容與形式相統一的方法論。

❖過猶不及

「過猶不及」是孔子中庸思想的核心，即反對過頭，又反對不及。〈先進〉記孔子與弟子的一段對話：子貢曰：「師（顓孫師，字子張）與商（卜商，字子夏）也孰賢？」子曰：「師也過，商也不及。」曰：「然則師愈與？」子曰：「過猶不及。」不及，不好；可是，過了頭，和不及一樣，也不好。他主張既不要過頭，也不要不及，而應該「允執其中」

（〈堯曰〉）。執其中，就是既不過頭，也不不及，掌握得恰到好處，無過無不及，「執其兩端用其中」。

孔子的「執其中」的思想，並不是折中主義。折中主義是把各種不同的思想、觀點、理論無原則的和機械的結合，在原則對立的觀點之間採取無原則的調和態度。孔子的「過猶不及」是「執其中」，「中」是有原則的，這個原則就是作爲「仁」的表現形式的禮。對於這個原則標準，要無過無不及，做得恰如其分，恰到好處，做不到或做過頭，都不是「執其中」。〈里仁〉記孔子說：「君子之於天下也，無適也，無莫也，義之與比。」他認爲，如何對待天下的事物，都以義爲根據。義屬於仁的範疇，以禮爲表現形式。所以《禮記・仲尼燕居》解釋「何以爲中」時，引孔子曰：「禮乎禮！夫禮所以制中也。」

❖和而不同

孔子認爲，中庸之道要做到「和而不同」。〈子路〉說：「君子和而不同，小人同而不和。」所謂「和」，即保存事物對立的統一。事物總是存在各種矛盾、差異，應該承認這種矛盾、差異，求得它們和諧地存在於統一體中，盡量協調這種關係，爭取矛盾的和諧、統一或平衡，使統一體的穩定不受到破壞。「和」就是把各種矛盾因素，調諧適當，把人與人之間各種矛盾關係處理適宜，保持社會的平穩；也可以說，恰當地處理內部矛盾，不破壞統一，就是「和」。「同」與「和」有原則的不同。它取消了事物的矛盾和差異，不要對立面，也不要差異性，達到單方面的統一。

孔子在君臣、父子關係上的主張可以說明這個道理。「君使臣以禮，臣事君以忠」，這是君臣關係的禮法，但是對某些事，君臣也會發生不同的看法。如果一件事君說可行，臣說不可行，說不可行的其中有可行的東西，說可行的，其中有不可行的東西，把這些意見協調起來，把事情辦好，這就是「和」。所以君要「使臣以禮」，有事要尊重並詢問大臣，採納大臣的正確建議，允許大臣提出批評；臣對君則應採取「勿欺也，而犯之」（〈憲問〉）的態度。「勿欺」即忠誠，指盡心竭力為君辦事，「犯」指對君提出批評，這樣，相互矛盾、差異的看法，以此補彼，會達到和諧、完美的統一，可以實現政治的穩定。如果不論君的意見錯誤與否，完善與否，君說行，臣也說行；君說不行，臣也說不行，這是「同」，結果使政治敗壞。父子關係也是如此，「父慈子孝」是禮法，可是子對父也不是一味順從，在敬的前提下，對父母的錯誤也可以勸諫，〈里仁〉說：「事父母幾諫」，就有這個意思。

孔子認為，事物都包含著對立的因素，完美的事物是多種因素以及對立因素的和諧統一，不能讓一種因素向極端化發展，强調一個方面時，又照顧到事物的另一個方面，防止一種傾向掩蓋另一種傾向。如〈衛靈公〉說：「君子矜而不爭，羣而不黨」；「貞而不諒」；又如〈子路〉：「泰而不驕」；〈雍也〉：「質勝文則野，文勝質則史，文質彬彬，然後君子。」在施政上也是如此，剛柔相濟、恩威並用、寬猛相濟等都是反對一種傾向的極端化，要求對立的統一。這就是「和而不同」。

❖不可則止

孔子認爲，講「執其中」，就是處理事情要注意分寸，不能破壞事物的統一。〈先進〉說：「所謂大臣者，以道事君，不可則止。」何謂「不可則止」？他評價史魚說：「直哉史魚！邦有道，如矢；邦無道，如矢！」他讚美不論政治清明或不清明，爲人都要堅持正道，像箭一樣直；接著他又評價蘧伯玉說：「君子哉蘧伯玉！邦有道，則仕；邦無道，則可卷而懷之！」（〈衛靈公〉）卷而懷之，就是把本領藏起來。這裡，堅持道是前提，能行道，就替君竭忠辦事；不能行道，就不出來做官。這樣的話，他說過幾次：「用之則行，舍之則藏。」（〈述而〉）「天下有道則見，無道則隱。」（〈泰伯〉）那麼，已經在朝做官的人，君無道，怎麼辦呢？他主張忠諫，但如果諫而不聽，那就不可則止：「忠告而善道之，不可則止，毋自辱焉。」（〈顏淵〉）諫而不聽就算了，可以引退而潔身自好，不能跟著去做不合於禮的事。

不可則止，包含著適可而止的意思：意見是要提的，不接受可以辭職，但決不抗上叛君，堅持尊尊的禮法，越出君臣關係之禮的事是決不幹的。

不可則止，也不排斥在一定條件下的「無可無不可」。孔子評論過微子、箕子、比干三個人，微子向紂王忠諫，紂王不聽，他便出走隱居，這是「邦無道則隱」，是「不可則止」的。箕子、比干也都向紂王忠諫，一個被紂王罰爲奴，一個被紂王殺掉，他們沒有隱居的可能。他們寧可因忠諫而爲奴、被殺，決不叛君作亂。在這個前提下，這樣做或那樣做，都是「無可無不可」的，所以孔子評價這三個人說：「殷有三仁焉」（〈微子〉）。孔子還評論過殷的幾個逸民，讚賞他們隱居潔身，最後說：「我則異於是，無可無不可。」（〈微子〉）他所處的情況不同，可以那樣做，也可以不那樣做。可見，孔子所說的「執其中」，並不是規定一定要怎樣去做，是可以視時間和條件而靈活運用的。他說的「中」，還是以禮爲準則，禮是孔子心目中的和諧統一，只要掌握住這個分寸，就都「無可無不可」。

第六節　《論語》論政治

《論語》論政治，是孔子的仁學思想、禮學思想和中庸思想在政治領域的運用。

孔子生活的時代，王室名存實亡，諸侯爭霸，列國兼併，子殺父、臣殺君、兄弟相伐、權臣僭越、國人暴動、夷狄交侵，禮壞樂崩，西周初期所實行的政治倫理制度受到嚴重破壞。孔子認爲，這是一個「天下無道」的時代，他心目中的西周盛世是「天下有道」的時代。他一再說「復禮」、「從周」，都是力圖恢復被破壞殆盡的西周禮制，來消除紛爭，重整秩序。他不了解由奴隸制轉化爲封建制的社會大變革是歷史發展的必然，而留戀並幻想恢復已不合時宜的過去。但是，正如前面所述，孔子又是把仁作爲禮的內核的，在他的政治主張中，也概括了西周政治思想中某些可取的政治經驗，作出新的解釋。這樣，他既表現出保守的、落後的政治傾向，又總結出可供封建社會政治作爲借鑒的理論，因而他仍能成爲封建社會統治階級所尊奉的聖人。

〈顏淵〉：「齊景公問政於孔子。孔子對曰：君君、臣臣、父父、子子。」〈子路〉又記子路問孔子：衞國要你治理國家，你先做什麼？孔子回答說：「必也正名乎！……」孔子把「正名」作爲治國的第一件要事，就是通過正名，使每個社會成員按照自己確定的名分，嚴格遵守周禮所規定的義務，從而重整已經被破壞的尊卑、貴賤的等級制度。

❖尊王忠君

正名，如前所述，最重要的是忠君：「事君盡禮」，「臣事君以忠」（《八佾》）。王是天下的共主，王與各國國君的關係又是君與臣的關係，所以都必須尊王，即尊重周王的天子地位。

如何尊王？孔子說：「天下有道，則禮樂征伐自天子出。」（〈季氏〉）制禮作樂，出兵征伐，由天子決定，即由周王制定並頒行各種典章制度以及教化與音樂的內容，決定對內對外進行戰爭。能夠這樣做，就是「天下有道」；反之，「天下無道，則禮樂征伐自諸侯出」，各諸侯國各做出一套禮樂，任意發動戰爭，那就破壞了統一，是「天下無道」的表現。

依照禮制，由天子頒發曆書於各國統一通行，每年秋冬之際，天子把第二年的曆書頒發給諸侯，諸侯把曆書放在祖廟裡，並在曆書規定的每月初一，諸侯來到祖廟，殺一隻活羊祭祀，稱「告朔」禮，當時魯國國君已不親來「告朔」，「告朔」流於形式，子貢主張去掉餼羊，孔子不滿地說：「賜也！爾愛其羊，我愛其禮！」孔子認爲尊王之禮，絲毫馬虎不得。〈堯曰〉記錄孔子說：「謹權量，審法度，修廢官，四方之政行焉。」意思是，謹愼地審查度量衡，恢復被廢棄的行政體制，可以使政令通行天下，即仍然由周王統一制定度量衡，統一行政制度，就可以實現天下一統。他又說：「興滅國，繼絕世，舉逸民，天下之民歸心焉。」西周初期周王封建的大小諸侯國，經過列國兼併或權臣篡權，有許多已經滅亡了，或者原來世系的繼承中斷而由篡權者繼位，沒落貴族中的一些人士成爲逸民。孔子認爲應該尊重周王對諸侯的封建，復興滅亡了的國家，接續貴族被斷絕了的世襲地位，起用舊貴族的那些逸民，這樣就恢復了西周初期的政治局面，那麼，天下的百姓就可以「歸心」了。

這是政治上的幻想，孔子卻認爲是治世的良策。他說：禮樂征伐「自諸侯出，蓋十世希不失矣；自大夫出，五世希不失矣，陪臣執國命，三世希不失矣。天下有道，則政不在大夫。天下有道，則庶人不議。」（〈季氏〉）孔子認爲，禮樂征伐不由天子決定，而由諸侯自行其是，這樣大概經過十代，很少有不垮台的；當時魯國和幾個國家連諸侯都無權了，由大夫專權，魯國的政權後來又落到家臣手中，他認爲，禮樂征伐自大夫出，過五代很少有不垮的；由家臣掌握國家大權，過三代很少有不垮台的。天下有道，政權決不能在大夫手裡，平民也不議論朝政。

孔子的尊王，是尊重周王的封建權力，奉行周王頒行的曆書，實行周王統一制訂的度量衡和各種典章制度，貫徹國王決定的教育內容，承認惟有周王才有發布戰爭命令的權力。在各諸侯國內，政權只能在君手裡，臣必須忠君，達到「事君，能致其身」（〈學而〉），即為君獻身；「事君盡禮，人以為諂也」（〈八佾〉），即事奉君主，一切依照臣子的禮節，哪怕別人以為是諂媚呢。孔子自己就是這樣做的，聽到魯公召見，他「不俟駕行矣」，「入公門，鞠躬如也，如不容」；「君在，踧踖如也。」（〈鄉黨〉）「敬其事而後其食。」（〈衛靈公〉）孔子認為，臣忠君的禮制是一點馬虎不得的，因此對臣僭禮僭權的事，他予以口誅筆伐；對於弒君行為，他就更痛心疾首，目為亂臣賊子，要求出兵討伐。

❖富民節用

孔子認為，治理國家「所重，民、食、喪、祭」（〈堯曰〉）。他把人民和糧食列為治國要務之先，是對於西周初期的敬德保民思想和春秋以來重民思想的繼承。以前的政治家已經認識到民為國本和必須保證農民的農業生產和再生產，在這個基礎上，孔子進而提出「庶、富、教」的主張：「子適衞，冉有僕。子曰：『庶矣哉！』冉有曰：『既庶矣，又何加焉？』曰：『富之。』曰：『既富矣，又何加焉？』曰：『教之。』」（〈子路〉）庶，指人口稠密；教，指教化。孔子認爲，人口繁衍衆多是好事，還必須使人民富裕起來，富裕之後再施行教化。庶、富、教三者，富民是中心。

孔子把統治階級中有道德修養的人稱作「君子」，把勞動人民稱作「小人」，他認爲「君子懷德，小人懷土；君子懷刑，小人懷惠。」「君子喻於義，小人喻於利。」（〈里仁〉）儘管孔子站在統治階級立場上是輕視勞動人民的，但他指明了勞動人民關心的是土地和切身的利益，而且這是必須首先解決的實際問題。「子貢問政，子曰：足食、足兵，民信之矣。子貢曰：必不得已而去，於斯三者何先？曰：去兵。」民食和軍備是最重要的，比起來民食更重要。季康子苦於盜賊太多，向孔子求教，「孔子對曰：苟子之不欲，雖賞之不竊。」（〈顏淵〉）意思是說，如果你不貪欲太多的財物，就是獎勵盜竊，他們也不會幹。這裡指出民爲盜是由於統治者貪欲太多。孔子主張取民有度，即賦稅徵斂應適可而止，橫徵暴斂會造成人民極度貧困而淪爲盜賊。

〈學而〉記孔子說：「道千乘之國，敬事而信，節用而愛人，使民以時。」這裡明確地提出「節用」和「使民以時」兩個原則。所謂節用，就是節約用度，少徵發民力，反對統治者奢侈浪費，讚揚禹的宮室簡陋、生活儉樸而致力於興修水利的事業。所謂使民以時，就是在民閒時才徵用民力，不影響農民的農業生產。因爲君的收入都是取之於民，孔子的弟子有若說：「百姓足，君孰與不足？百姓不足，君孰與足？」（〈顏淵〉）他把孔子的富民思想講得很透徹：百姓富裕了，君怎麼會不富裕呢？百姓不富裕，君又怎麼會富裕呢？這一思想後來被引申爲「民富國強」。

〈堯曰〉記孔子提出的「尊五美，屏四惡，斯可以從政矣。」所謂五美是「惠而不費，勞而不怨，欲而不貪，泰而不驕，威而不猛。」所謂「惠而不費」，是「因民之所利而利之，斯不亦惠而不費乎？」即讓人民盡力去發展生產，這並不需要統治者自身耗費什麼；所謂「勞而不怨」，是「擇其可勞而勞之，又誰怨？」即使民有度，使民以時，百姓就不會怨恨；所謂「欲而不貪」，是「欲仁而得仁，又焉貪？」即把對財貨的貪欲，換成一顆仁愛之心。這三美都是屬於富民思想的，把施政的重點放在促進人民發展農業生產，通過取民有度、使民有時，加上統治者的勤勉和節用，就可達到民富君足的目的。

孔子還談過「均無貧」的問題，他說：「丘也聞有國有家者，不患貧而患不均，不患寡而患不安。蓋均無貧，和無寡，安無傾。」（〈季氏〉）有國者指諸侯，有家者指大夫，朱熹釋：均，謂各得其分；安，謂上下相安。孔子的意思是：諸侯和大夫不必擔心貧，而應擔心分配不均，即各級貴族占有的土地和財富各有一定的數量；不必擔心境內人口少，而應擔心境內不安定。按照各自的等級規定占有財富就不會貧，和順就不會人口少，境內安定國家就不會傾危。孔子的「患不均」是主張按規定分配財富，反對貴族無限制地擴充財富，努力維持安定的局面。

❖重德省刑

孔子根據他的仁學，主張德治。〈爲政〉記孔子說：「爲政以德，譬如北辰，居其所而衆星共之。」又說：「道之以政，齊之以刑，民免而無恥；道之以德，齊之以禮，有恥且格。」所以，孔子認爲，爲政以德是治國的根本原則。「博施濟衆」是他最高的理想政治：「子貢曰：『如有博施於民而能濟衆者，何如？可謂仁乎？』子曰：『何事於仁？必也聖乎！堯舜其猶病諸！』」（〈雍也〉）博施，指普遍地給民衆以好處；濟衆，指幫助民衆。子貢問能這樣做到，算不算仁；孔子回答說：這哪裡僅僅是仁呢，簡直是聖德了，這一點連堯舜都難以做到。孔子的德治，也就是仁政。

〈顏淵〉：「季康子問政於孔子曰：『如殺無道，以就有道，何如？』孔子對曰：『子爲政，焉用殺？子欲善，而民善矣。君子之德，風；小人之德，草；草上之風，必偃。』」季康子提出的「殺無道以就有道」，本來沒有什麼不可以的，孔子並不反對，但他說，爲政最好不用殺人，你要把國家治好，百姓也會好。治國者的品德好比是風，小人的品德好比是草，風向哪邊吹，草向哪邊倒。孔子是主張重德省刑的，盡量使用教化，少用刑罰。如他所說：「聽訟，吾猶人也。必也使其無訟乎！」（〈顏淵〉）他和別人一樣，也審理案件，但最好是使訟案不發生。不發生案件，也就用不著刑罰了。

孔子並不主張廢除刑罰，「刑罰不中則民無所措手足」；也不是主張絕對不殺人。在德與刑的關係問題上，德爲主，刑爲輔，先德而後刑，先教而後誅，反對不教而誅。他談論爲政應「尊五美，屏四惡」，四惡即「不教而殺，謂之虐；不戒視成，謂之暴；慢令致期，謂之賊；猶之與人也，出納之吝，謂之有司。」（〈堯曰〉）事先不加教育便殺人是虐，事先不告誡便責備完成的不恰當是暴，與民無信而責罰人民延誤法令是賊，本來應該給與的卻吝嗇出手是小氣。孔子認爲，虐、暴、賊、小氣都是惡政，應該加以摒除。

孔子的德治還表現在「使民」問題上。統治者必然使民，即使役人民，孔子主張先惠而後使和先教而後使。使民必須有惠於民，即給民一定的好處，「惠則足以使人」（〈陽貨〉），「善人教民七年，亦可以即戎矣」，「以不教民戰，是謂棄之。」（〈子路〉）必須先經過訓練，才能讓民參戰，不教而使民去參戰，等於讓民去送死。

❖賢人政治

孔子重視執政者的個人作用。政是要靠人去推行的，季康子問政，孔子回答說：「政者，正也。子帥以正，孰敢不正。」（〈顏淵〉）又說：「其身正，不令而行；其身不正，雖令不行，雖令不從。」「苟正其身矣，於從政乎何有？不能正其身，如正人何？」（〈子路〉）執政者首先「正」，政治才能走上正道；而且上行下效，己正才能正人。孔子強調正人君子治國，是主張人治的。他解釋過執政者「一言可以興邦，一言可以喪邦」，他又向樊遲說：「上好禮，則民莫敢不敬；上好義，則民莫敢不服；上好信，則民莫敢不用情。夫如是，則四方之民襁負其子而至矣。」（〈子路〉）執政者的品德和作爲能決定政治的好壞。所以他一直强調統治者的道德修養。

由人治思想出發，必然主張賢人政治。子貢說：「文武之道，未墜於地，在人。賢者識其大者，不賢者識其小者。」（〈子張〉）這是說，文王武王之道，並沒有失傳，還在人間流傳，賢者能夠抓住大處；不賢者只能抓住末節。只有賢者才能了解和推行大道，所以必須以賢人執政，這是符合孔子思想的。仲弓問爲政，孔子回答他：「先有司，赦小過，舉賢才。」又問：「焉知賢才而舉之？子曰：「舉爾所知；爾所不知，人其舍諸？」（〈子路〉）

先有司，指給作具體工作的人帶頭；赦小過，指不計較小過失；舉賢才，即任用賢才為政。大家都能任用所知道的賢才，也就不會有賢才被埋沒了。

在宗法制度統治下，是任人唯親的，孔子主張打破任人唯親的制度，不論親疏貴賤，而任用德才兼備的賢才。那時規定祭祀用的牛不能用犁牛，因為犁牛是低賤的。孔子的弟子仲弓出身貧賤，但很有才幹，這樣的人能不能做官呢？孔子談論這個問題時用比喻說：「犁牛之子騂且角，雖欲勿用，山川其舍諸？」（〈雍也〉）耕牛的兒子長著赤色的毛，周正的角，雖然不想用它祭祀，但山川之神是決不拒絕的，所以仲弓是貧賤之人的兒子，但他有才幹，是可以做官的。孔子又說：「先進於禮樂，野人也；後進於禮樂，君子也。如用之，則吾從先進。」（〈先進〉）他把君子（貴族）和野人（無爵位者）對舉，野人先學習禮樂後做官，君子做官以後才學禮樂，孔子說，如果要他選拔人才，他選先學禮樂的野人。他看重的是什麼人更好地掌握了禮樂，而不看重出身的高低貴賤。〈顏淵〉記樊遲向孔子問知，孔子回答：「知人」；又解釋說：「舉直錯諸枉，能使枉者直。」樊遲又把這句話問子夏，子夏談他的領會說：「富哉言乎！舜有天下，選於衆，舉皋陶，不仁者遠矣。湯有天下，選於衆，舉伊尹，不仁者遠矣。」舜選皋陶，湯選伊尹，是從貧賤中選拔賢才為大臣的範例。孔子主張不分貴賤，唯賢才是舉，打破當時任人唯親和貴族子弟靠家世蔭庇做官的用人制度，這是有積極意義的。

孔子提倡賢人政治，固然主張舉賢才不分出身貴賤，對廣大人民羣衆則採取輕視的態度。他認爲，統治者與人民羣衆之間是治與被治、使與被使的關係，人民羣衆向統治者貢獻賦稅和勞役是理所當然。「唯女子與小人爲難養也」（〈陽貨〉），他又顚倒了統治者與人民羣衆之間養與被養的關係，而且認爲人民羣衆是不好「養」的，他希望通過「先惠後使」、「先教後使」、「取民有度」，使人民羣衆安分守己，不犯上作亂。「唯上智與下愚不移。」（〈陽貨〉）勞動人民是天生的愚昧無知，因而，「民可使由之，不可使知之。」（〈泰伯〉）所以孔子認爲只能由貴人、賢者、智者來統治，勞動人民只是被施予恩惠的對象。孔子政治思想的階級性質又是很明顯的。

第七節　《論語》論教育

孔子是偉大的教育家，這不僅因爲他創辦私學，對教育進行了從形式到內容的改革，教育過一大批人才，開創了儒家學派，更在於他留下了豐富的教育思想，至今仍然是中華民族文化的寶貴財富。孔子的教育思想，是他的仁禮學說和中庸學說在教育領域的運用。擇要而言，大致可以歸納於五個方面。

❖有教無類，誨人不倦

孔子明確地提出他辦學的原則：「有教無類。」（〈衛靈公〉）無類，就是沒有貧富、貴賤、國籍等等差別，即他所說：「自行束脩以上，吾未嘗無誨焉。」（〈述而〉）束脩，脩是肉乾，又叫脯，十條脯為一束，古代用作初次拜見的禮物。孔子辦學當然不是貪圖這點薄禮，他的意思是說，凡主動前來以禮拜師，我從來沒有不教誨的。有教無類，實際上是提出人人可以前來受教育，開創了通向普及教育的新道路，使教育由貴族壟斷而轉移到平民，是教育領域的一項革命創舉。他的弟子大多出身於貧賤之家，而且從不同國家和地域前來。有教無類是進步的教育思想。

孔子認為，人可以通過教育而得到改造和提高。「性相近也，習相遠也。」（〈陽貨〉）人的天性是相近的，由於環境的不同影響就各不相同了，那麼，人的本性也就可以通過後天的環境影響而改變。因而，運用教育手段可以改變人，提高人的道德和知識水平，從而縮小乃至消除社會上人們之間道德和知識水平的差距。

孔子認為，教育家——教師，擔負重要的義務和職責，為此，他以嚴肅認眞、踏實負責的態度從事教育事業。他一再提出「學不厭，教不倦」，並身體力行，表現了他對於教和學的熱愛。《論語》首章就說：「學而時習之，不亦說乎？有朋自遠方來，不亦樂乎？人不知而不慍，不亦君子乎？」（〈學而〉）第一句說的是學不厭，第二句的「朋」指的是遠方來的就學者之多，第三句指對學而不知者而無慍色，說的是教不倦。〈述而〉中孔子也一再自述自己「學而不厭，誨人不倦」，或「爲之不厭，誨人不倦。」只有熱愛教育事業，才有這種誨人不倦的精神。

❖全面教育，德育爲先

孔子辦教育，有明確的目標：爲了實現他以仁禮爲中心的政治理想而培養人才。他是以教育爲手段，培養他的學生爲士、爲君子、爲賢臣，上忠事國君，下惠及萬民。所以，當樊遲要學圃學稼時，他批評樊遲沒有出息，而希望他的學生以治世爲志向。爲此，孔子辦學並不是單純傳授知識，而以培養優秀的政治人才爲方針，德才並重，進行德、智、體、美全面教育。

孔子最基本的教育內容是德育，注重學生的品德修養。在《論語》中，他對弟子談論最多的，也是德育方面的內容：「剛、毅、木、訥近仁」，仁，是他要求必須具備的品質，他和弟子還先後提出：孝、悌、忠、信、勤；義、勇、敬、誠、恕；溫、良、恭、儉、讓；謙、和、寬、敏、惠等品德要求，希望學生具有高尚的情操。他又要求學生具有中庸的品德，成為道德完善的人；立志力行，做到「三軍可奪帥也，匹夫不可奪志」（〈子罕〉），「無求生以害仁，有殺身以成仁」（〈衛靈公〉）。而且，他還堅持「聽其言而觀其行」（〈公冶長〉），要求作到言行一致，通過行為來檢驗道德情操。

孔子對學生進行的智育，即掌握文獻知識。《論語》中記載的是《詩》、《書》、《禮》、《樂》，據我們所知，晚年還有《易》和《春秋》。孔子親自整理修訂古代文獻作為教材，為了完成編訂教材的工作，他也成為中國第一個偉大的文獻整理家。在當時來說，教材內容是豐富的。除六經外，還有一些技藝方面的教育。顏元說：「孔門司行禮、樂、射、御之學，促人筋骨，和人血氣，調人情性。」春秋時代傳統的初級教育除禮、樂、射、御，還有書、數，稱為六藝。孔子對音樂、射箭、駕車都內行，也帶學生演習禮儀，出門由學生趕車。習禮和樂屬於美育，射、御則屬於體育。這說明他也注意學生的體育鍛鍊和美育陶冶。

❖啓發教學，因材施教

孔子十分注意啓發學生的學習自覺性，不懈地培養學生的學習興趣，激發學習熱情。如他一再說：「學而不厭」、「不恥下問」、「三人行必有我師」、「學而時習之」、「溫故而知新」等等，這些格言啓發學生勤奮學習，積極求知，並從反復學習中獲得新體會、新發現。

孔子提倡學思結合。學，是占有材料；思，是思考分析問題。要增長知識，必須認眞學習並進行思考，才能眞正消化吸收。學和思是辯證關係，他說：「學而不思則罔，思而不學則殆」（〈爲政〉）。孔子一再提倡讀書後要獨立思考，「切問近思」、「多聞闕疑」。

孔子注意運用啓發式的教學方法。他說：「舉一隅，不以三隅反，則不復也。」（〈述而〉）教給學生某一點內容，學生不能舉一反三，他不再往下教。學生顏淵說：「夫子循循然善誘人，博我以文，約我以禮，欲罷不能」（〈子罕〉）。這種循循善誘，就是啓發學生在學習中運用邏輯推理的方法，由其一而推知其二、其三，不採取灌注式方法。從《論語》的記載看，孔子進行教學常常運用討論、問答的方式，這是啓發式教學的一種形式。這比至今流行的「滿堂灌」的「塡鴨」式教學，不知要高明多少倍。

孔子注重因材施教。學生的智力高下有別，其習性、興趣也各有特殊性，這就要求了解他們不同的習性、興趣、智慧和能力，揚長避短，施以不同的引導。他說：「中人以上，可以語上也；中人以下，不可以語上也。」（〈雍也〉）這是說對中等水平以上的學生，可以告訴他高深的知識；中等水平以下的學生，不可告訴他高深的知識。這是要求注意學生的實際程度，講授學生現有水平可以接受的內容。〈先進〉記子路和冉有都來問「聞斯行諸」，孔子回答子路說：「有父兄在」，意思是要先告父兄；回答冉有說：「聞斯行之」，意思是行動吧。有一個學生便問他，爲什麼對二人的回答不同呢？孔子說：「求也退，故進之；由也兼人，故退之。」這就是根據學生習性的不同特點，給予針對性的指導。

孔子因材施教的思想，是有價値的教育學理論。

❖師生平等，教學相長

《論語》記述孔子與學生之間的關係，是尊師愛生、平等友愛的關係。

孔子對學生眞誠坦率。他向學生說：「二三子以我爲隱乎？我無隱乎爾。我無行而不與二三子者，是丘也。」他襟懷坦白，平易近人，對所有的學生，不分貧富和出身貴賤，都一視同仁。顏回出身貧賤，子貢是富商，他卻平等對待，同樣循循善誘，誨人不倦，有進步就鼓勵，有缺點就批評。他親近和愛護每一個學生，不因好惡而有親疏厚薄之分，對自己的兒子也不偏私，同樣嚴格要求。

學生對孔子，愛之如父兄，敬之如堯舜，仰之如日月。孔子屢遭厄運，曾絕糧於陳蔡，被囚於匡人，周遊列國，備嘗艱辛，但學生始終跟隨不散。學生早夭，他痛哭流涕；孔子亡故，弟子們服喪三年，子貢結廬墓旁守喪六年。

孔子實行師生人格上平等，學問上平等。「子曰：當仁不讓於師。」（〈衛靈公〉）主張學生在眞理面前對老師也不讓步。他認爲學生不要對老師一味信從。顏淵是他器重的學生，他批評顏淵：「回也非助我者，於我言無所不說。」（〈先進〉）指出顏淵對他的話從來沒有相反的或補充修正的意見，這對他並沒有幫助。〈雍也〉：「子見南子，子路不說。夫子矢之曰：予所否者，天厭之！天厭之！」南子是衛靈公夫人，把持衛國國政，且行爲不檢，孔子受南子接見，子路很不滿意，孔子發誓說：我若有錯誤的話，老天厭棄我吧！從這件事來看，孔子把學生當朋友看待，允許學生提意見，而且很重視學生的批評。在這些地方，都表現了師生的平等關係。

孔子還提倡師生之間互相切磋，共同討論，收到教學相長的效果。全部《論語》，基本上是他們師生之間互相討論的問答。〈先進〉一篇中錄有著名的「侍坐」章：孔子要弟子們各談志向，孔子加以評論；〈公治長〉又記顏淵、子路侍坐，二人各言其志，最後孔子也談了自己的志願。他經常與學生在一起討論切磋。〈八佾〉又記子夏問《詩》中的三句話是什麼意思，孔子作了回答，子夏從孔子的回答得到啓發，提出「仁」先「禮」後的觀點，孔子大加讚賞說：「起予者商也！始可與言《詩》已矣。」他認爲子夏的回答給了他啓發和幫助。這段記載反映了師生間互相切磋，教學相長。

《論語》記述的孔子與弟子的師生關係，表現了平等民主的精神，這種尊師愛生、親密無間的關係，可以作爲楷模。

孔子是中國歷史上偉大的思想家、政治家和教育家，是中國傳統文化的主要奠基者之一，也是世界文化史上的巨人之一，《論語》是孔子言論行事的眞實記錄，是研究孔子思想最可靠的材料。所以研究孔子思想，應以《論語》爲主要依據。先秦其他史書、子書以及《禮記》和漢人著述，也曾引述孔子的言論，既不能籠統地完全信爲實，也不能籠統地完全以爲虛，必須分別審愼地利用。

評價孔子，歷代有褒有貶，形成歷史上的尊孔與反孔之爭。不論如何評價，孔子的思想和學說對兩千餘年中國的文化和觀念形態產生重大影響。近百年來，對孔子的評價經歷幾次大起大落，孔子被「打倒」多次，「文革」中被罵得狗血淋頭。可是曾幾何時，孔子又起來了。全盤否定孔子，不是歷史的科學態度。歷史進入用實事求是的科學態度研究理論和研究學術的新時期，重新研究和評價孔子的思想學說，已經成爲學術界廣泛關心的課題。

現在學術界普遍認爲，要在具體的歷史條件下認識孔子。不能把後來儒家學派的思想都作爲孔子的思想，孔子思想、儒家思想和中國傳統文化思想之間存在著既有區別、又密切相連的關係。研究孔子的學說，要注意其兩重性：它一方面是中國歷代封建王朝的思想支柱；另一方面，在他所處的歷史條件下超越了同時代人，看得較高較遠。因此，在評價孔子學說時，應持審慎的態度，要以歷史上的尊孔和反孔爲鑒，既不盲目無批判地推崇，也不採取虛無主義的態度。孔子學說是歷史的產物，其整個體系已爲歷史的發展所揚棄，它保留在傳統文化意識中的許多不利於社會發展、不利於人民進步要求的消極因素，必須認眞清理加以揚棄，但其精華，卻凝聚在中國文化積累和中華民族精神生活之中，有待於後人去開發利用，用以充實和發展我們的現代精神文明。

注釋

①郭沫若《十批判書・孔墨的批判》，《郭沫若全集・歷史編》第二卷。

②同注①。

③匡亞明《孔子評傳》第四章，齊魯書社一九八五年本。此段參取其說。

推薦閱讀書目

・《論語注疏》魏・何晏集解，宋・邢昺正義，《十三經注疏》通行本。
・《論語章句集注》宋・朱熹注，《四書章句集注》本。
・《論語正義》清・劉寶楠撰，中華書局，一九八九年新排本。
・《論語譯注》楊伯峻撰，中華書局通行本。
・《論語新解》錢穆撰，三民書局，一九六五年本。
・《論語今註今譯》毛子水著，台灣商務印書館，一九八四年修訂本。
・《孔子評傳》匡亞明撰，齊魯書社，一九八五年本。
・《孔子研究》蔡尚思撰，中國社會科學出版社，一九九〇年增訂本。

第8章 《孝經》

《孝經》全文一七九九字，是十三經中最短的一部，稱「小經」。

《孝經》專講「孝道」。漢代皇帝認爲「孝道」對鞏固社會秩序有重要作用，把《孝經》立於學官，規定它和《論語》一樣是童蒙識字以後的必讀經典，從天子到庶民，人人必讀。漢代皇帝的謚號多冠一個「孝」字，提出「百行孝爲先」，作爲衡量士人品德的首要標準，由各地舉「孝廉」，委任官職。爲了表示重視和提倡，皇帝親自爲《孝經》撰集注，據《隋書・經籍志》載目，晉元帝、梁武帝、梁簡文帝以及東晉孝武帝都曾宣講《孝經》，作過注疏。現收入《十三經注疏》中的《孝經注疏》，爲唐玄宗李隆基注，宋・邢昺疏。由此可見對這本書多麼重視。

第一節 作者和寫作時代及版本

《漢書・藝文志》記：「《孝經》者，孔子爲曾子陳孝道也。」《史記・仲尼弟子列傳》記：「曾參字子輿，少孔子四十六歲，孔子以爲能通孝道，故受之業，作《孝經》。」《漢志》在這裡說是孔子所作，《史傳》在這裡說是曾子所作，古人曾辨駁兩說均爲不實之辭。《孝經》首章就明明寫著：「仲尼居，曾子侍……」孔子怎麼會稱他的學生爲「子」呢？說是孔子作，於文義不合；曾子也不會自稱爲「子」，說是曾子作，也與文義不合。宋人王應麟認爲是子思所作；朱熹等又據文義推測是曾子其他門人所作，記其老師曾子與太老師孔子的對答之辭。這個推測與《孝經》的實際內容也不符合，因爲經後人查對《孝經》中襲用了《左傳》、《孟子》、《荀子》中的話。孔子死於西元前四七九年，曾子比他小四十六歲，即使曾子也活到七八十歲，大致也死於西元前四三〇年左右，連他的門人也是戰國早期的人，那時孟子、荀子還沒有出生，怎麼可能抄錄《孟子》、《荀子》的內容呢？所以，《孝經》的作者只能是《左傳》、《孟子》、《荀子》流傳以後的儒家學派所作。

近人又認爲《孝經》是秦漢之際或是西漢前期所作。這個說法也不能成立，因爲《呂氏春秋》的〈察微〉、〈孝行〉兩篇各抄引了《孝經》的成段文字，一篇一字不差，一篇只有個別字不同，《孝經》一定流行在《呂氏春秋》成書之前。很明顯它不是秦漢時所作，而確是先秦古籍。

由此，我們可以大致確定《孝經》的作者和成書時代。它產生在孟子、荀子之後，又在呂不韋集門客撰集《呂氏春秋》之前。孟子約死於西元前二八五年，荀子約生於西元前三一三年，約卒於前二三八年，《呂氏春秋》於西元前二四〇年開始撰著，次年成書。據此推算，《孝經》之作，當在西元前三世紀期間，在秦統一中國之前數十年間。

《孝經》也有今文、古文之別。古文《孝經》有三種：一、魯恭王於孔壁中所得，凡二十二章，已亡於梁代；二、《孝經古孔氏傳》，凡二十二章，孔安國傳，本已亡，隋代復得，劉炫爲之序，又亡於唐代；三、日本人保存本，據說係唐代傳入日本，亦有孔安國傳，後收入我國《知不足齋叢書》，據考證，係僞書。由此可見，眞本古文《孝經》實際已不存在。流傳至今的是今文《孝經》，漢初顏貞所藏，由其子獻出，凡十八章，一八七二字，《十三經注疏》所依據的就是這個本子，不過又脫漏了七十三字。

由於《孝經》爲爲政者所提倡，自兩漢至齊梁，注釋百餘種，其中不乏名家，到唐初，流行的只有孔安國、鄭玄兩家。唐玄宗博採諸家，「采摭菁英，芟去煩亂，撮其義理允當者，用爲注解（〈御注序〉），並擧出各家注本之異同，分列於經文之後，以便比較研究。這個注本保存了唐以前各家注的寶貴資料，於天寶二年（西元七四三年），頒行天下，其他注本俱廢。它至今仍是較好的注本。

第二節　十八章內容大要

《孝經》十八章，首章〈開宗明義〉說明孝道的主旨；第二章至第六章分述從天子到庶人的五等孝；以下諸章分別說明推行孝道的意義和方法，以及行孝、事君和喪親等問題。全文採用孔子和曾子對答的問答體，假託孔子和曾子之口，而內容和文句多是採錄自《左傳》、《孟子》、《荀子》等典籍，前後結構並不嚴整。

❖開宗明義

〈開宗明義章第一〉首先說明：「夫孝，德之本也，教之所由生也。」孝，是道德的根本，教化就是由此而產生的。「先王有至德要道，以順天下，民用和睦，上下無怨。」先王，指古代賢明的統治者，把孝作爲最高的道德，最重要的原則，用來治理天下，從而使人民和睦，上下之間沒有怨言。這裡不僅把孝道作爲最高的道德標準，而且把貫徹孝道作爲治理天下的重要思想原則。這與從氏族社會以血緣的「親親」之情而產生的孝的觀念，已經根本不同了。在氏族社會後期，由於個體家庭經濟的發展，確定了子女受父母撫養以及繼承父母財產的權利，從而也確立了子女贍養父母的社會責任，這是孝的古老觀念。儒家學派改造了這個觀念，給它打上封建階級的烙印，把它作爲建立自己統治的思想工具。

〈開宗明義〉章又說：「身體髮膚受之父母，不敢毀傷，孝之始也；立身行道，揚名於後世，以顯父母，孝之終也。」這是說，身體髮膚來自父母的精血，一定要珍惜，所謂不虧體，不辱身，保全父母的遺體，這是履行孝道的首先要求。《禮記・祭義》解釋說：「父母全而生之，子全而歸之……一舉足，而不敢忘父母，是故道而不徑，舟而不游，不敢以先父母之遺體行殆；一出言而不敢忘父母，是故惡言不出之於口，忿言不反於身。不辱其身，不羞其宗，可謂孝矣。」能履行孝道的人，自然不會冒險、越軌或與人爭較，只能小心謹慎地做規矩本分的事，不會危及封建統治秩序。但這僅是初步的要求，履行孝道的最終要求是立身行道，從而使自身揚名於後世，來顯揚父母，也就是後人所說的「光宗耀祖」。

怎樣才能光宗耀祖呢？〈開宗明義〉章指出：「夫孝，始於事親，中於事君，終於立身。」在事親和立身行道之間的通道就是事君，即忠於君，竭心盡力地爲君王服務；這樣以事親之心來事君，就可以做官和受到封賞，從而揚名天下。後來爲政者對每個官員都封贈其父母以榮譽稱號，就是貫徹這個思想，它確實成爲封建社會讀書人普遍追求的目標。

這樣，孝由家庭擴大到社會，以孝作紐帶，把封建社會的個人、家族和國家聯繫起來。孝不僅是每個家庭成員在家庭中必須履行的義務，也是每個社會成員對社會必須履行的義務，把每個社會成員都納入忠君的規範之中，封建統治乃得以維繫。

❖五孝

《孝經》中的孝是有差等的，在宗法等級社會，處於不同社會等級的人，所履行的孝道內容是不同的。從第二章到第六章共五章，分別規定了天子、諸侯、卿大夫、士、庶人五等人孝道的具體內容。

〈天子章第二〉說的是天子之孝：「愛親者，不敢惡於人；敬親者，不敢慢於人。愛敬盡於事親，而德教加於百姓，刑於四海；此天子之孝也。」天子是最高統治者，他愛父母，因此不敢厭惡別人的父母；他尊敬父母，因此也不敢輕慢別人的父母。他對於父母極爲敬愛，用這種品德來教化百姓，治理天下。對百姓進行教化，對天下實行統治，這是天子的孝。

〈諸侯章第三〉說的是諸侯之孝，它提出十六個字：「在上不驕，高而不危。制節謹度，滿而不溢。」諸侯是一國之君，在一國中的地位是最高的，雖在上位而不無禮，這樣地位高卻不會發生什麼危險。節儉費用是制節，愼行禮法是謹度，雖然富足但不奢侈；能做到守禮和節用這兩項，那麼，「高而不危，所以長守貴也；滿而不溢，所以長守富也。富貴不離其身，然後能保其社稷，而和其民人，蓋諸侯之孝也。」原來諸侯之孝就是長守富貴，永保社稷，使人民安分地服從統治，君位代代相傳。

〈卿大夫章第四〉說的是卿大夫之孝。卿大夫是高級官員，都是貴族，他們的孝道是：「非先王之法服不敢服，非先王之法言不敢道，非先王之德行不敢行。」古代各級貴族以及平民服裝的質料、顏色、式樣都有規定，不准亂穿，用來區別人的社會等級地位。這裡說，不合先王服制規定的衣服不穿，指遵守等級制度，不符合先王制度的話不說，不符合先王規定的道德規範的事不做。「是故非法不言，非道不行，口無擇言，身無擇行，言滿天下無口過，行滿天下無怨惡。」不合法的話不說，不合道的事不做，所說的只有符合先王制度的話而沒有別的話，所做的只有符合先王之道的事而沒有別的事，這樣，所說的話滿天下的人沒有人說不對，所做的事滿天下也無人怨惡。「三者備矣，然後能守其宗廟，蓋卿大夫之孝也。」服、言、行三者都遵守先王之法，就不會犯錯誤，而能夠永保爵位不被褫奪。看起來，卿大夫的孝，就是遵守封建宗法社會的各種制度和道德規範，作君王的馴服工具，來保持世襲爵祿。

〈士章第五〉說的士之孝。士是下級官吏，小貴族。這等人的孝道是：「資於事父以事母而愛同，資於事父以事君而敬同。故母取其愛，而君取其敬，兼之者父也。故以孝事君則忠，以敬事長則順。忠順不失，以事其上，然後能保其祿位，而守其祭祀，蓋士之孝也。」像事父一樣事君就是忠，像敬兄一樣來敬長就是順。不失忠順來事在上位者，就能夠保持祿位，延續祭祀。士履行孝道，就是像事父事兄一樣來事奉在上位的君長。

〈庶人章第六〉說的是庶民之孝：「用天之道，分地之利，謹身節用，以養父母，此庶人之孝也。」用天之道，指利用春生、夏長、秋收、冬藏的天時；分地之利，指分別各種土壤土質而因地制宜種植和收穫作物；謹身，即前文所言不虧身，不辱身，遵守法度，保全自身；節用，指勤儉節約，才能免於饑寒。庶民的孝道，就是安分守己地勤儉度日來贍養父母。《孝經》規定了從天子到庶民的這五等孝道，認爲始自天子，終至庶人，雖然地位有尊有卑，但各有各的孝道，「而患不及者，未之有也。」

從天子到庶民的五等孝，明確地突出了統治和被統治的關係。天子、諸侯以能夠長久保持統治爲孝，卿大夫、士以尊奉君主忠順效勞而保持爵祿爲孝，而廣大的庶民履行孝道，只是安分守己辛勤勞動。在「孝」的親愛和美的面紗下，掩蓋著階級統治的實質。

❖以孝治天下

《孝經》第七、八、九三章講以孝治天下；與此有關，第十一章講孝與刑的問題。

〈三才章第七〉的「三才」，指天、地、人。文章托孔子的語氣說：「夫孝，天之經也，地之義也，人之行也。」這是說，孝道是天經地義和人之常情。「天地之經，而民是則之。」正因爲孝道是天地之經，所以人民也把它作爲法則。「則天之明，因地之利，以順天下」，是前文「庶人之孝」「用天之道，分地之利，謹身節用，以養父母」的簡括，意思是說好像日月星在天空運行，人民也把孝道作爲奉行的常德，「是以其教不肅而成，其政不嚴而治」。統治者只要因天地順人情推行孝道，那麼不用肅戒就可以實現教化，不用威嚴就可以治理國家。本章又進一步說明：「先王見教之可以化民也，是故先之以博愛，而民莫遺其親，陳之以德義而民興行；先之以敬讓而民不爭，導之以禮樂而民和睦，示之以好惡而民知禁。」對人民的教化必須先由統治者作榜樣，統治者帶頭博愛，人民就不會遺棄父母；統治者帶頭講敬讓，人民也就不會相爭；再用德義、禮樂、好惡來引導，人民就會和睦守法。

〈孝治章第八〉說古代聖明之王以孝治天下，在祭祀其先王時，諸侯大小列國都高興地前來參加助祭；諸侯以孝治國，祭祀其先君時，士民百姓都高興地前來參加助祭；卿大夫以孝治家，祭祀其父母時，妻子臣妾都高興地前來參加助祭。文章認爲，能夠這樣，「故生則親安之，祭則鬼享之，是以天下和平，災害不生，禍亂不作，故明王以孝治天下也如此。」天子、諸侯、卿大夫都推行孝治，就會使普天之下和睦太平。

〈聖治章第九〉說明聖人的德教也以孝爲大：「天地之性，人爲貴；人之行，莫大於孝。」在萬物中人爲貴，人以孝爲本，「孝莫大於嚴父，嚴父莫大於配天。」所謂配天，指祭天時以祖先配享。下文舉聖人周公祀后稷、文王配天，萬國助祭，說明孝是聖人的至德。它說：聖人根據人有尊敬父母之心而教人以敬，根據人有親愛父母之心而教人以愛，所以「其教不肅而成，其政不嚴而治，其所因者本也。」對於人君來說，他履行孝道比別人更要深厚，因爲「父子之情，天性也，君臣之義也。」父子的慈愛之情是天性，又有君臣之義，子即是臣，父即是嚴君，所以既要親愛，又要敬畏。父子如此，君民也如此。作爲君子，「言思可道，行思可樂，德義可尊，作事可法，容止可觀，進退可度」，能夠這樣管理人民，人民就會「畏而愛之，則而象之，故能成其德教，而行其政令。」所謂「聖人」治理天下就是如此。

〈五刑章第十一〉說：「五刑之屬三千，而罪莫大於不孝。」爲了推行孝治，要以刑罰爲輔。犯墨、劓、刖、宮、大辟五種刑罰的罪有三千條，沒有比不孝再嚴重的了；不孝的罪惡最大，當然就是大辟。「要君者無上，非聖人者無法，非孝者無親，此大亂之道也。」這裡把不孝和要君、非聖三者相提並論，認爲都是破壞封建統治秩序而造成天下大亂的根源，主張處以極刑。封建統治者的所謂「以孝治天下」，決不是推行人類間的慈愛和溫情，而是把它和嚴厲的刑罰結合起來，作爲一種統治手段。

❖孝親、事君和諫諍

《孝經》第十、十七、十五三章分別談孝親、事君以及君父有過失應該諫諍；十八章還談到喪親。

〈紀孝行章第十〉說的是孝子如何事親：「居則致其敬，養則致其樂，病則致其憂，喪則致其哀，祭則致其嚴；五者備矣，然後能事親。」這裡提出孝子事親要做到五件事，一是平時起居做到盡量恭敬；二是日常奉養盡量使其歡樂；三是對父母疾病極爲憂愁；四是對父母死亡極爲哀傷；五是祭祀做到盡量嚴肅。要做孝子，必須首先做到這五條。但是，僅僅做到這五條還不夠，還必須做到：「事親者，爲上不驕，爲下不亂，在丑（衆）不爭。」在上位不驕傲而莊敬以臨下，在下位者恭謹以奉上，在衆人之中和順而不競爭。因爲「居上而驕則亡，爲下而亂則刑，在丑而爭則兵，三者不除，雖日用三牲之養，猶爲不孝也。」驕者亡，亂者刑，爭者兵，都會導致自身乃至家族的敗亡，雖然對父母供養豐厚，仍是不孝。所以，作孝子必須不驕、不亂、不爭，絕對安分守己，循規蹈矩。

《事君章第十七》談事君之道：「君子之事上也，進思盡忠，退思補過，將順其美，匡救其惡，故上下能相親也。」這裡提出忠君不是單純的順從，而是全心全意爲君的利益著想，盡心而補過，順善而匡惡。

《諫諍章第十五》把補過匡惡的思想說得更淸楚。文中假托曾子問：「子從父令可謂孝乎？」又假托孔子回答說：「是何言與！是何言與！昔者天子有爭臣七人，雖無道，不失其天下；諸侯有爭臣五人，雖無道，不失其國；大夫有爭臣三人，雖無道，不失其家；士有爭友，則身不離於令名；父有爭子，則身不陷於不義。故當不義，則子不可以不爭於父，臣不可以不爭於君。故當不義，則爭之。從父之令，又焉得爲孝乎？」這裡指出，維護封建統治階級的根本利益是最大的前提，當在上位者（君、父）的行爲危及封建統治，就不能順從，而要諫諍；如果不諍，就會失天下、亡國、喪家、敗壞名聲、陷於不義。所以，當在上位者行爲不義，諍才是孝，不諍而順從，則是不孝。孔子在《論語》中曾說：子女對父母的過失要委婉勸說，而且又提倡「子爲父隱」。《孝經》則强調以「義」爲準則，如果君父不義，臣子可以與之爭辯是非，要匡惡補過。在這個問題上，《孝經》比《論語》前進了一步。

〈喪親章第十八〉講孝子喪親，應哭得氣竭聲嘶，觸地無容，言不成句，衣不美服，食不甘味，聞樂不樂，這些都是哀戚之情的表現。聖人還規定三日不食，但又哀而不傷身，並要守喪三年。埋葬應備棺梓衣衾，看好墳地，哭送安葬，然後立位於宗廟，春秋按時祭祀。《孝經》說：「生事愛敬，死事哀感，生民之本盡矣，死生之義備矣，孝子之事親終矣。」

❖發揚孝道，感動天地

《孝經》第十二至十四章講發揚孝道，第十六章講孝能感動天地。

〈廣要道章第十二〉講發揚孝悌禮樂是治國的要道；「教民親愛，莫善於孝；教民禮順，莫善於悌；移風易俗，莫善於樂；安上治民，莫善於禮。」它認爲，應該把孝悌和禮樂結合起來。它又著重談到當政者禮敬他人父、君的必要：「禮者，敬而已矣。故敬其父，則子悅；敬其兄，則弟悅；敬其君，則臣悅。敬一人而千萬人悅，所敬者寡而悅者衆，此之謂要道也。」爲人上者要禮敬他人的父兄和君長，方是發揚孝悌之道，而獲得衆人的擁護。

〈廣至德章第十三〉講「君子之教以孝也，非家至而日見之也」，統治者以孝悌教化天下，並不必到家家戶戶每天去當面講，「教以孝，所以敬天下爲人父者也；教以悌，所以敬天下之爲人兄者也；教以臣，所以敬天下之爲人君者也。」這是說，統治者尊敬天下爲人父者，那麼所有爲子者也都知道孝父了；統治者尊敬天下之爲人兄者，那麼所有爲弟者也都知道敬兄了；統治者尊敬天下之爲人君者，那麼所有爲臣者也都知道忠君了。

《廣揚名章第十四》講孝親事兄和忠君尊長是一致的，理家和治國是一致的，以孝悌爲本，就可以揚名後世：「君子之事親孝，故忠可移於君；事兄悌，故順可移於長；居家理，故治可移於官。是以行成於內而名立於後世矣。」以孝事君就是忠，以敬事長就是順，能理家就能做官，做官就能揚名。

《感應章第十六》講天子之孝能夠通神：「昔者明王，事父孝，故事天明；事母孝，故事地察；長幼順，故上下治。天地明察，神明彰矣。」這是說，天子的孝能感動天地，尊卑等級分明，上下相安，得到神明的福佑。天子帶頭實行孝悌，修身愼行不辱先，宗廟致敬不忘親，通過祭祀而鬼神感應。《孝經》在這裡宣揚孝不僅可以維繫社會的尊卑等級關係，而且天地感應，能夠取得神明的幫助而達到人力所不能達到的結果。這一章把孝由封建倫理觀念無限擴張，變爲宗教神學了。傳說的「二十四孝」神話，都屬於這一類。

第三節 《孝經》的批判

「孝」的觀念產生於以血緣爲紐帶的氏族社會。氏族社會後期，個體家庭經濟有所發展，在每個個體家庭內部，父母撫養和愛護子女，子女繼承父母財產和贍養父母。父母和子女之間的這種承繼關係和親親之情，逐漸成爲社會的習俗，於是產生了原始的慈孝觀，即父母有撫育、教養和愛護子女的義務，子女有尊敬、服從和奉養父母的職責。幾千年來，這個觀念深入人心，已經成爲中華民族的傳統美德。

孔子和儒家學派一方面繼承了氏族社會原始的孝慈觀，從理論上進行了論述，使之更爲普遍地長期深入民間；另一方面，又按照封建社會的政治需要，對孝的觀念進行了一番補充和發揮，使之逐漸成爲封建統治的思想工具。這兩個方面的內容，在儒家關於孝道的理論中是互相交織的，不論是在孔子或是孟子的言論中，都是如此；然而到了《孝經》，原始的孝慈觀念剩下的已經不多，全文充斥著封建倫理說教。

《孝經》提倡的孝道，絕非僅僅是尊敬和奉養父母；它把家庭內部的親親之情，擴大爲封建等級社會的政治倫理關係。它有五等孝，規定了不同的社會地位的人的職責：天子和諸侯等大小貴族以掌握政權、統治人民、富貴不離其身或永保祿位爲孝，庶民以「謹身節用以養父母」，老老實實勞動生產，安於被統治地位爲孝。《孝經》用「孝」這個親愛和美的字眼，來掩蓋封建統治的實質。

天子、諸侯、卿大夫、士這些大小貴族各自履行自己所處等級的孝，各安其位，不僭不越。爲了統治階級的根本利益，它也告誡爲政者力行仁義，戒驕戒奢，並且允許諫諍；但在下位者對在上位者必須「忠順不失，以事其上」；奉公守法，立身揚名，爭取光宗耀祖。這樣，在上位者和在下位者各履職責，就可以保持貴族階級內部的團結和宗法等級制度的鞏固。

《孝經》提倡以孝治天下，就是把「孝道」作爲統治天下的工具。它不但把孝道說成是人倫之本，而且把它誇大爲「天之經也，地之義也，人之行也」，抬高到「天道」的高度，說成是宇宙的總規律，說什麼孝可以感動天地，上通神明，無所不能。這樣，它又把孝這一倫理觀念神祕化，使之成爲愚昧民衆的武器。

《孝經》提倡宣揚孝道，實行以孝悌禮樂爲內容的教化，其要求是人人各守本份，不但忠君順長，而且「身體髮膚受之父母，不敢毀傷」，不涉險，不犯罪，作循規蹈矩、謹小慎微的人；如果不這樣做，就被扣上不孝的帽子。「五刑之屬三千，以不孝爲大」，不孝就治以重罪。可見，統治者在滿口道德宣揚孝道時，又作了「刑」這另一手的準備，爲政者宣揚的孝，決不是慈愛和溫情的東西。

從孔子到《孝經》，都把祭祀作爲孝子事親的重要內容，認爲祭是養的繼續。孔子嚴守祭祀父母和祖先的禮儀，而且强調必須要有恭敬和虔誠的態度；他又說：「未能事人，焉能事鬼？」較偏重於對在世父母的尊敬和奉養。《孝經》則更强調祭祀，說得比養還重要，宣揚祭祀可以上通鬼神，隆重的祭祀可以天人感應，求得福佑；反之，會激怒神鬼，受到譴誡。其實，起源於氏族社會的祭祀，是人類知識蒙昧時代的產物，認爲在冥冥之中一切有神靈控制，而人死後則成爲神鬼精靈，於是從血緣的親親之情，發展爲對祖先神鬼的崇拜，祈求祖先神鬼降福和保佑。祭祖祈福，完全是一種迷信的觀念。《孝經》强調祭祀，除了祈福，還有政治目的，這就是通過祭祀共同的祖先，來鞏固和加强宗族內部的團結，它是作爲維繫宗法關係的一種固定的形式。因而《孝經》的這些說教，全是封建糟粕。我們認爲，通過某種形式來表達對父母養育之恩的長志不忘，這是無可厚非的，但迷信的祭祀活動卻是必須取締的。

宋代朱熹曾經評論《孝經》：「……然皆齊、魯間陋儒纂取《左氏》諸書之語爲之，至有全不成文理處，傳者又頗失其次第。」（《朱子語類》）他曾經對《孝經》原文大加刪削。當然，朱熹只是認爲《孝經》這部書編撰的質量不好，並不是反對孝道。他把孝道發展得更極端化，將君權、父權絕對化。

推薦閱讀書目

·《孝經注疏》唐·玄宗注，宋·邢昺疏，《十三經注疏》本。
·《孝經白話注釋》嚴協和撰，一九五五年台灣本，一九八九年三秦出版社重排本。
·《孝經今註今譯》黃得時撰，台灣商務印書館，一九七二年本。
·《孝經學源流》陳鐵凡撰，國立編譯館，一九八六年本。

第9章 《爾雅》

《爾雅》是我國第一部綜合性有系統的訓詁專書，也可以說是第一部大致按詞義系統和事物分類而編纂的詞語詞典或小百科詞典。在古代是一部很重要的書。

關於《爾雅》的名稱，唐・顏師古注《漢書》引張晏說：「爾，近也；雅，正也。」雅言，指雅正之言，即先秦時代在政治、文化、社交活動中共同使用的規範語言，以「爾雅」命名的意思，就是以這種標準語言來解釋古語詞、方言語詞和難僻語詞。在它產生的時代，許多古籍年代已經久遠，其中一部分詞語當時已難以通曉，需要用當時共同使用的雅言加以解釋，如宋・邢昺《爾雅疏》所說：《爾雅》的一部分內容是「通古今之字」。再者，古時方國方言俗語殊異，也需要用雅言加以解釋，如漢・劉熙《釋名》所說：《爾雅》的又一部分內容是

「五方之言不同，皆以義正爲主也。」今人周祖謨《重印〈爾雅考〉跋》說：「古今言異，方國語殊，釋以雅言，義歸於正，故名《爾雅》，言近正也。」近人黃侃概括說：《爾雅》「爲諸夏之公言」、「經典之常語」、「訓詁之正義」。

《爾雅》是古人閱讀古書、通曉方言、辨識名物的一部工具書。梁・劉勰《文心雕龍》稱它爲「詩書之襟帶」；宋・林克甫《艾軒詩說》稱它爲「六籍之戶牖，學者之要津」；清・宋翔鳳《爾雅郭注義疏序》稱它是「訓故之淵海，五經之梯航」。這些稱頌之辭，都指明《爾雅》是古代治經所不可缺少的工具書，如《四庫全書簡明目錄》所說：「欲讀古書，先求古義，舍此無由入也。」其全部內容，網羅了不同時代、不同地域的漢語詞彙，一部分取自儒家的五經，一部分取自諸子百家的著述，另一部分於文獻無徵的則取自方言俗語。雖然其中徵於五經的約十分之三、四，而以釋《詩經》詞語爲多。但所釋的名物大多仍與五經有關。《四庫全書總目提要》說：「持說經之家，多資以證古義，故從其所重，列入經部耳。」

它不屬於思想理論或歷史著作，而屬於語言文字學，即「小學」；所以《漢書・藝文志》把它列於「六藝之末」，附於《孝經》類，把它作爲經典的附庸。漢文帝時，除五經置博士，《論語》、《孝經》、《爾雅》都置博士。唐刻開元石經，把《爾雅》列爲十二經之末，從此它便正式成爲儒家經典叢書之一。

第一節 作者、成書時代和篇數

關於《爾雅》的作者、成書時代和篇數，歷代有不同的說法。最初的說法有兩種：一說是周公所作，那麼最初成書是在西周初期；又一說是孔子及其弟子子夏所作，那麼最初成書是在東周。但是只要考究一下《爾雅》的內容，這兩種說法都站不住腳。《爾雅》所釋語詞的材料取自五經者不過三分之一左右，大部分雜取自諸子百家之書，如〈釋天〉中的「暴雨謂之涷」，取自《楚辭》；「扶搖謂之猋」，取自《莊子》；「春爲青陽，夏爲朱明，秋爲白藏，冬爲玄英，四氣和謂之玉燭」，取自《尸子》……〈釋地〉中的「東方有比目魚焉……」一長句，取自《管子》；「北方有比肩民焉……」一長句取自《山海經》；「西方有比肩獸焉……」一長句取自《呂氏春秋》；「西王母」，取自《穆天子傳》。〈釋鳥〉中的「爰居，雜縣」，取自《國語》；「晨風，鸇」，取自《左傳》；「桑扈，竊脂」，取自《淮南子》……。由此可見，訓釋的材料一部分取自春秋時代，而大部分取自戰國中、後期的古籍，或於文獻無徵的口語，所以決不可能成書在西周或東周，作者當然也就不可能是周公或孔子及其弟子子夏。

上說不能成立，又有人說是漢儒所作：有的說是秦漢之際的儒生；有的說是漢初儒生；有的說是武帝之後、哀帝、平帝之前的儒生；還有的說是西漢末年劉歆僞作。其實，都是推測之辭，不能成立。理由有三：

一、從《爾雅》在漢代出現的時間來看。秦代《詩》《書》等儒經和百家語被禁毀，漢初社會尚不安定，這一段時間不具備編纂這樣卷帙和內容繁多的詞典的社會條件。文、景之世先秦古籍復出，武帝獨尊儒術後不久就出現了《爾雅注》，所以最初的《爾雅》，既不能在漢初著作成書，也不能在武帝之後著作成書。

二、從《爾雅》訓義的內容來看。它訓義多據周制，而東周、西周之制有所不同，如〈釋山〉訓「五岳」一詞，一處訓爲「河南華，河西岳，河東岱，河北恆，江南衡」，爲西周之制；另一處訓爲「泰山爲東岳，華山爲西岳，霍山爲南岳，恆山爲北岳，嵩山爲中岳」，爲東周之制。對一個詞的訓釋出現重複、矛盾的情況，說明它是把西周和東周兩個時期的訓詁材料匯編在一起，並不是漢儒依據漢時的地理名稱所作的解釋。

三、從《爾雅》與《毛詩故訓傳》的比較來看。《爾雅》訓釋《詩經》的詞語較多，與《毛傳》所用的材料有許多是相同的，而《毛傳》的訓詁比較《爾雅》精確和進步，顯示高出一個時代的新水平。《毛傳》的作者是西漢前期學者，所以《爾雅》不可能產生在《毛傳》之後。

這些情況，古代有些學者也看到了，唐．孔穎達《毛詩正義》曾說：「《爾雅》之文雜，非一家之注。」宋．王應麟《漢書考證》說：「〈釋詁〉一篇，蓋周公所作；〈釋言〉以下，仲尼所增，子夏所訂，叔孫通所益，梁文所補。」他說的這些人，雖不準確，但他看到了《爾雅》經過不同時代的人們遞相增補，在認識上有所進步。

現代學術界根據《爾雅》所涉及的文獻、訓釋的內容和材料，結合中國字書發展史，大致斷定《爾雅》是綴輯西周以來多家的訓詁材料滙編而成，經過先秦許多學者的遞相增益，最初成書的時代，大約在戰國末期，即西元前三至四世紀。它經過秦火而倖存，於漢初復出，在古文經學傳注發達之後，漢代學者又進行了增補潤色，成爲我們現在看到的《爾雅》。班固著《漢書》時，距《爾雅》流傳不過二三百年，因爲《爾雅》不是一人一時完成的，所以他寫〈藝文志〉時，在《爾雅》題下無從著錄作者的主名。

《漢書．藝文志》著錄：「《爾雅》三卷二十篇，存。」可是今本只有十九篇。據宋．邢昺《爾雅疏》說：「《爾雅．敍篇》云：〈釋詁〉〈釋言〉通古今之字。」《爾雅》原有一篇序，而這個〈敍篇〉在宋以後亡佚。但是，也有人說《爾雅》還應有一篇〈釋禮〉，今尚有殘文雜於〈釋天〉篇；還有人說《爾雅》並不缺篇，〈釋詁〉在漢代原來分爲上下兩篇。這兩種說法尚無從確考，只能聊備其說。

第二節　《爾雅》的分類和內容

《爾雅》十九篇，全書共一三一一三字。前三篇是解釋一般語詞的，可以說是普通的詞典；〈釋親〉以下十六篇是按事物分類，解釋所分各類、各物，可以說是小百科名詞詞典。十九篇的內容一篇一類，共十九類，有單音詞，也有複音詞。學者們把它們併爲五大類。

❖語言類

《爾雅》的前三篇：〈釋詁〉、〈釋言〉、〈釋訓〉，是解釋古代文獻中一般語詞的，凡是非名物的語詞，都歸在這一類，其篇幅約占全書篇幅總數將近一半，釋詞語一五九三個。前兩篇主要釋單音詞，多用直訓的方式；後一篇主要釋複音詞，多用義訓的方式。

一、〈釋詁〉

〈釋詁〉的「詁」，指用今語解釋古語，或用通語釋方言語詞，共一七三條，其中有許多條一條釋多字，共釋語詞九三二個，其中只有十九個複音詞，九一三個是單音詞。

〈釋詁〉的訓釋方法有一個明顯的特點，即匯集若干個同義語詞在一起，用一個常用語詞作解釋。例如：「初、哉、首、基、肇、祖、元、胎、俶、落、權輿，始也。」「崩、薨、無祿、卒、徂落、殪，死也。」上一條十一個語詞，都用一個常用語詞「始」來解釋；後一條六個語詞，都用一個常用語詞「死」來解釋。每組語詞多少不等，最多的三十一個，少的二、三個，個別的只有一個。其或多或少，根據被釋的同義語詞的多少而定。

所謂同義詞，指意義相同或相近的詞，既有「相近」，在一組同義詞中，它們的意義並不完全相等，所以不完全通用。如上引第一條以「始」解釋的十一個語詞，「首」、「元」的本義是人頭，人出生先出頭，引申爲人體之始；「基」的本義是建築的基礎，引申爲建築之始；「胎」引申爲人生之始。這些都是引申義；又如「落」，只有在廟堂宮室建築落成時，才有「始」的意思，這個語詞在先秦時的常用意作由上而下掉落講，在這一條中訓爲「始」，是用其特殊意義。由此可見，對釋詁所列同義詞，不能簡單化通用，要在一定的語言環境中比較辨析，才能正確理解，避免謬誤。

漢字常常一字多義，對這樣的字，〈釋詁〉就其不同意義分別訓釋，一義一訓，這樣的方式稱「文同訓異之例」。例如，「悅、懌、愉、……樂也。」換一條又釋「悅、懌、愉……服也。」「憮、龐，大也。」換一條又釋「憮、龐，有也。」這樣處理一字多義，方法是科學的。

有時它又用一個多義字作訓釋詞，來訓釋一組語詞，如「育、孟、耆、艾、正、伯，長也。」長是多音多義字，可讀長短之長，又可讀生長、成長之長，以及年長、官長之長，用這個字訓詁六個語詞，「育」取養育成長之義，「孟、耆、艾」取年長之義，「正、伯」取官長之義。又如「台、朕、賚、畀、卜、陽（錫），予也。」「予」有二義，一為第一人稱代詞，一通「與」，是給予、賜予之意，被釋的六個語詞，前兩個取第一義，後四個取第二義。這樣的方式稱「二義同條之例」，使用時容易發生訛錯，是不科學的。

二、〈釋言〉

〈釋言〉的「言」，在這裡指常用語詞。本篇也是用今語釋古語，用通語釋方言，不過所釋者多為常用語詞。它大多以一個單詞釋一個單詞，即一對一；一小部分列兩個同義詞，以一個語詞來訓釋，即一對二；一對三的，極為個別。全篇二八〇條訓釋三六〇個語詞。除個別的以外，全是單音詞。訓釋方法大體與〈釋詁〉相同。

對於多義字，它也取「文同訓異」之例，但不分條，而在一條中列出幾個義項，如「濟，渡也。濟，成也。濟，益也。」在一個多義字之下分列義項的方法，比〈釋詁〉所用的另列一條的方法要清楚得多，現在的字典、詞典就繼承這種方法。

〈釋言〉中解釋了一部分異體字，如「迺，乃也。」「䰈，嗟也。」這裡舉的是同音同義而字形不同，實際上是不同的書寫形體。這一部分不但有助於閱讀古書，還能使我們認識中國文字形體逐漸由繁趨簡的演變。

〈釋言〉中還解釋了古籍中的一部分假借字，主要是〈詩經〉中的假借字，如「甲，狎也。」「務，侮也。」

三、〈釋訓〉

〈釋訓〉的「訓，義為解釋詞義。這一篇內容主要是解釋一些複詞的詞義。這些複詞絕大多數是疊詞，其餘是一部分連綿詞及四字一句的語詞。它們大多數是《詩經》中描寫事物情貌的語詞。全篇一一六條，訓釋詞語三〇一個。訓釋的方式大多是兩個疊詞用一個單詞來解釋，如：「明明、斤斤，察也」；「祁祁、遲遲，徐也」。有的不能用一個單詞解釋，就用一句話概括地說明，如「子子孫孫，引無極也」；「式微式微者，微乎其微也。」

有時不是一般地解釋詞義，而是說明被釋的疊詞在詩中的興喻之意，如「丁丁、嚶嚶，相切直也」；「藹藹、萋萋，臣盡力也；噰噰、喈喈，民協服也。」解釋詞語在具體詩篇中所表達的興意，是《爾雅》釋詞的一個特色。

〈釋詁〉〈釋言〉〈釋訓〉三篇訓釋的形式，大多是如上所舉諸例：被訓釋詞在前，訓釋詞在後；也有一小部分是反過來的：訓釋詞在前，被訓釋詞在後，中間加一個「爲」（或「曰」、「謂」）字，如：「美女爲媛。美士爲彥。」後來古書的注疏，也常採用這種形式。

❖人文關係類

人文關係類有〈釋親〉一篇，是關於親屬稱謂的解釋，反映了古代親屬關係的基本格局。它把親屬關係分爲宗族、母黨、妻黨、婚姻四部，共三十四條，親屬稱謂詞九十一個。這些稱謂詞有些沿用至今，有的已經有變化，但讀古書時卻會經常遇到。

一、宗族

「宗族」，又曰父黨，指父系親屬。中國古代是宗法社會，重視父系血統，所以特別重視宗族關係，列於這一類之首，解釋父系親屬十四條。

㈠父爲考，母爲妣。（本來父、母不論存歿都稱考、妣，後來只稱死去的父、母爲考、妣，祖母和祖母以上的女性祖先稱先妣。）

(二)父之考爲「王父」，父之妣爲「王母」（今稱祖父、祖母）。王父之考爲「曾祖王父」，王父之妣爲「曾祖王母」（今稱曾祖父、曾祖母）。曾祖王父之考爲「高祖王父」，曾祖王父之妣爲「高祖王母」（今稱高祖父、高祖母）。

(三)父之世父、叔父爲「從祖祖父」；父之世母、叔母爲「從祖祖母」（今稱祖父的兄弟爲伯祖父、叔祖父、伯祖母、叔祖母，俗稱叔伯爺爺、叔伯奶奶）。宗法制度實行嫡長子繼承制，一輩爲一世，故稱大伯父爲世父，後來的伯父通稱世父。

(四)父之昆弟，先生的爲「世父」，後生的稱叔父（今稱伯父、叔父）。

(五)男子先生爲兄，後生爲弟；(男子)謂女子先生爲姊，後生爲妹。

(六)父之姊妹爲姑。

(七)父之從父昆弟（父親的同一祖父的兄弟，即堂兄弟）爲「從祖父」（今稱堂伯父、堂叔父）。父之從祖昆弟（父親的同一曾祖父的兄弟）爲「族父」。族父之子相謂爲「族昆弟」（今俗稱本家兄弟）。族昆弟之子相謂爲親同姓（今俗稱本家）。

(八)兄之子、弟之子相謂爲從父昆弟（今稱堂兄弟）。

(九)子之子爲孫，孫之子爲「曾孫」（今俗稱重孫），曾孫之子爲「玄孫」，玄孫之子爲

「來孫」，來孫之子爲「昆孫」，昆孫之子爲「仍孫」（一作礽孫，又作耳孫），仍孫之子爲「雲孫」。

㈩王父之姊妹爲「王姑」（今稱姑祖母，俗稱姑奶奶），曾祖王父之姊妹爲「曾祖王姑」，高祖王父之姊妹爲「高祖王姑」。父之從父姊妹爲「從祖姑」（今稱堂姑母），父之從祖姊妹爲「族祖姑」（今俗稱本家姑奶奶）。

（十一）父之從父昆弟之母爲「從祖王母」（今稱伯祖母或叔祖母）。父之從祖昆弟之母爲「族祖王母」（今俗稱本家奶奶）。父之兄妻爲「世母」（今稱伯母），父之弟妻爲「叔母」（今俗稱嬸母）。父之從父昆弟之妻爲「從祖母」（今稱堂伯母或堂嬸母）。父之從祖昆弟之妻爲「族母」（今俗稱本家伯母或本家嬸母）。

（十二）父之從祖祖父爲「族曾王父」，父之從祖祖母爲「族曾王母」（今稱本家曾祖父、本家曾祖母）。

（十三）父之妾爲「庶母」（庶母是與父之正妻「嫡母」相對而言）。

在父系親屬中，與本人的親疏遠近是按照上述順序的。

二、母黨

母黨，指母系親屬，共三條，九個稱謂。父系社會强調男性血緣關係，母系屬於外姓，所以稱謂母親的直系尊長，都加一「外」字。

㈠母之考爲「外王父」，母之妣爲「外王母」（今稱外祖父、外祖母）。母之王考、王妣爲「外曾王父、外曾王母」（今稱外曾祖父、外曾祖母）。

㈡母之昆弟爲「舅」。母之從父昆弟爲「從舅」（今稱堂舅）。

㈢母之姊妹爲「從母」（今稱姨母）。從母之男子（兒）爲「從母昆弟」（今稱姨表兄弟），其女子子（女兒）爲「從母姊妹」（今稱姨表姊妹）。

三、妻黨

妻黨，一般指妻族。在這一部分，除了解釋對妻族親屬的稱謂，還解釋男子對姑、舅、姊妹之子，女子對兄弟之妻與子、姊妹之夫、夫兄弟之妻的稱謂，共七條，十七個稱謂，大多與現代的稱謂不同。

㈠妻之父爲「外舅」，妻之母爲「外姑」（今稱岳父、岳母）。

㈡姑之子、舅之子、妻之昆弟、姊妹之夫統稱爲「甥」。「甥」這個字的本義爲異姓所生，這個稱謂用以表示是異姓親屬。（今分別稱姑、舅之子爲表兄弟，妻之兄弟爲內兄、內弟，姊妹之夫爲姊夫、妹夫。）

㈢妻之姊妹已出嫁爲「姨」（今不論出嫁與否均稱姨，年長於妻稱大姨，年幼於妻稱小姨）。女子稱姊妹之夫爲「私」（今稱姊夫、妹夫）。

㈣男子稱姊妹之子爲「出」（今稱甥）。女子謂兄弟之子爲「姪」。出之子爲「離孫」，姪之子爲「歸孫」，女兒之子爲「外孫」。

㈤女子同嫁一夫，年長爲「姒」，年幼爲「娣」（這是指同夫諸妾間的互相稱謂，嫡妻不在其內）。

㈥長婦（兄之妻）謂稚婦（弟之妻）爲「娣婦」（今稱娣妹）。稚婦謂長婦爲「姒婦」（今稱嫂）。

㈦女子謂兄之妻爲「嫂」，弟之妻爲「婦」（今稱娣妹）。

四、婚姻

這一部分指由婚姻關係結成的親戚關係。這些親戚關係成立的前提是構成婚姻，如果婚姻關係不存在，親戚關係也不存在。共十條，二十個稱謂。

(1)婦稱夫之父曰「舅」，稱夫之母曰「姑」（今稱公爹、婆母）；謂夫之庶母曰「少姑」。

(2)夫之兄爲「兄公」，夫之弟爲「叔」，夫之姊爲「女公」，夫之妹爲「女叔」（今稱大伯、小叔、大姑、小姑）。

(3)子之妻爲婦，長婦（長子之妻）爲「嫡婦」，衆婦爲「庶婦」（今統稱媳婦）。

(4)女子子（女兒）之夫爲「婿」。

(5)婿之父爲「姻」，婦之父爲「婚」，婦之父母，婿之父母相謂爲「婚姻」（今統稱親家）。

(6)兩婿相謂爲「亞」（一作「婭」，今俗稱連襟）。

(7)父之黨爲宗族，母與妻之黨爲兄弟，婦之黨爲婚兄弟，婿之黨爲姻兄弟。（父系親屬是有血統關係的宗族，爲本姓本家；母系親屬和妻系親屬是無血統關係的姻親。「婚」是內親，指媳婦方面的親戚；「姻」是外親，指女婿方面的親戚，具體處理關係時應內外有別。）

(8)嬪，婦也。（帝王女兒出嫁謂之嬪，出嫁之後就成爲其夫家的媳婦，擔負履行婦道的義務。）

〈釋親〉一篇雖然是解釋親屬稱謂的，但它們所表示的親屬關係，卻是社會人文關係的反映。由這裡可以看出，封建宗法社會是由氏族社會父系家長制發展而來的，它以父系血緣關係爲基礎和紐帶，結成龐大的宗族，進行封建統治。它强調男性血統，而把婦女作爲男性的附庸，强調她們三從四德。它嚴分嫡庶，內外有別，又通過內外姻親關係，用禮制把統治階級團結起來。

❖建築器物類

〈釋宮〉、〈釋器〉、〈釋樂〉三篇，是對建築和器物名稱的解釋，共一〇八條，釋名物三六一個。

一、〈釋宮〉

〈釋宮〉的「宮」，在先秦和「室」是同義詞，都是房屋、住宅的意思，不論貴賤，房屋、住宅都可稱「宮」；秦、漢之後，才專指帝王的宮殿。這一篇，比較詳細地解釋了宮室的總體名稱及其建築的各個部位的名稱，也解釋了與之有聯繫的道路、橋樑等名稱。共二十六條，其中前二十一條是解釋宮室及其各個部位的名稱，後五條是解釋道路、橋樑等名稱。

通過對宮室、名稱的解釋，可以了解上古宮室建築的規模和布局。如有堂室、廂房、寢廟、庭、階、榭、樓、正門、側門、小門、房舍之間的街巷及巷門，正門（應門）兩旁有高大建築物稱「闕」（觀），正房爲住處稱「家」，坐門朝南，其門稱「戶」，北牆有窗稱「牖」，中有屏風……。所有這些建築，完全是土木結構：夯基夯牆，以白灰（堊）塗飾粉刷，立柱上樑，椽上瓦下鋪葦席或竹簾，門有橫樑、轉軸，共七十個建築名稱。另有隄、橋、路、衢、場、巷道等名稱二十個。從這些名物，基本上可以了解上古建築的面貌及其工藝水平，是研究古代建築史的寶貴材料。

二、〈釋器〉

〈釋器〉解釋各種器用以及服飾、飲食的名稱，共四十六條，釋名物一三五個。

各種器用包括：各類盛器，如豆（木製食物盤）、籩（竹編果脯盤）、登、缶（瓦製食物器皿）；各種漁獵農具，如罟、罭（大小魚網）、羅（鳥網）、罝（兔網）等；各類弓、斫、鐯（鋤鎬之類）、銛（鍬類）；彝、罍等各種青銅禮器和酒具等等。這些器物分別屬於木製品、竹製品、陶製品、青銅製品、編織品、皮革製品之類；其中提到的金屬還有鎏（黃金）、鏐（紫磨金）、銀、鉛（錫）。

從各種服飾名稱的記載，可以看到上古衣服的樣式，如上衣有領、交襟，下衣著裙，有紅、綠、黑、白諸色，染色工藝有一染、二染、三染，衣領繡黑白相間斧形花紋，衣帽鑲邊，婦女有佩巾。人們佩有玉製品、象牙、貝殼、骨角和羽毛製品等飾物和信物。

從各種飲食名稱的記載，可以看到上古人們的飲食文化。穀去糠、煮熟，不食半生或變質腐臭食物，吃肉脫皮去骨，魚刮鱗，以肉和蔬菜煮羹，也製肉醬、魚醬，有多種炊具。

通過這些器用、服飾、食用，基本上反映了上古人們的生產力水平和生活狀況。

三、〈釋樂〉

〈釋樂〉十六條，主要解釋五聲音階的名稱以及一些樂器的名稱共三十六個。

我國上古五聲音階中的五個音級是：宮、商、角、徵、羽，大致相當於現代音樂簡譜的1、2、3、5、6。

這裡解釋的金、石、土、革、絲、木、匏、竹等八音中的樂器有弦樂器、管樂器、陶製吹奏樂器、敲擊樂器等，這些樂器的演奏方式也多種多樣。這部分材料，對研究古代音樂史很有價值。

❖天文地理類

〈釋天〉、〈釋地〉、〈釋丘〉、〈釋山〉、〈釋水〉五篇解釋天文地理方面的名詞，可以歸屬爲一大類。這五篇共一八二條，解釋三五〇個名稱。這些釋詞，不但爲我們閱讀古書提供了第一手訓詁材料，而且較爲全面地反映了我國上古時代天文學和地理學的基本面貌。

一、〈釋天〉

〈釋天〉一篇內容範圍很廣，主要是解釋天文、曆法、氣象方面的詞語，分爲四時、祥、災、歲陽、歲名、月陽、月名、風雨、星名、祭名、講武、旌旗十二類，共五十一條，釋名一〇二個。

「四時」的「時」，是季節的意思，「四時」即四季。古人視天形穹隆，色蒼，故稱天爲蒼穹。四季的天又各有專名：春爲蒼天，夏爲昊天，秋爲旻天，冬爲上天；古籍中有時如此使用，但較多的時候又泛稱天，或以上名稱泛用。

「祥」，指吉祥的徵兆。古人認爲，太平之時，四季之氣不同，所以各有別名：春爲青陽（氣清而溫陽），夏爲朱陽（氣赤而光明），秋爲白藏（氣白而收藏），冬爲玄英（氣黑而清英），四季之氣和暢，稱爲玉燭。氣形之於風，氣和則風祥。祥風的名稱：春爲發生（萬物生長）、夏爲長嬴（通盈，充滿、增長），秋爲收成，冬爲安寧；四季氣和平正通暢，稱爲景風。那時人們主要在黃河流域從事農業生產，重視雨水及時，及時降的甘雨稱爲「醴泉」（甘美的泉水）。

「災」，指自然災荒，以農業收成好壞而論。糧食作物不熟爲饑，蔬不熟爲饉，果不熟爲荒，連年不熟爲荐。這些詞又常連用，如「饑饉」、「饑荒」。

「歲陽」的「歲」，指歲星（木星）。古人認爲日、月、星都繞天運行，太陽運行的軌道稱黃道，其他星辰也傍黃道運行。黃道一周天被等分爲十二個區域，即十二個星次，按十二地支紀名①；歲星由西向東行經一個星次範圍爲一年，行經哪個星次範圍，便用「歲在××（星次名）」紀年。但歲星運行方向與十二地支紀名順序相反，古人又設想出一個假歲星，假定與眞歲星運行方向相反，稱爲太歲。太歲紀年法稱爲歲陰或太陰，〈釋天〉解釋了十二歲陰的名稱。古人又以十天干紀年②，稱爲歲陽。〈釋天〉也解釋了十個歲陽的名稱。歲陽和歲陰相配，組成六十個年名，即俗稱六十年循環一甲子。

「歲名」的「歲」，本義是收穫莊稼，古時穀物一年一熟一收割，這個字便引申爲表示時令的「年」。不同時代，名稱不同：唐虞曰載，夏代曰歲，商代曰祀，周代曰年；到後代，歲、年、載都通用了。

「月陽」和「月名」是給月取的別名。古曆以十天干紀月，稱「月陽」；又有十二個月的別名，稱「月陰」。月陽和月陰相配合，可組成六十個月的別名。但這套月名在古籍中很少使用，早被淘汰了，古人紀月，仍通常以數字表示。

「風雨」解釋風和雨的各種名稱，如南風稱凱風，東風稱谷風，北風稱涼風，西風稱泰風，盤旋而上的風稱猋，日出的大風稱暴……；彌漫在空氣中如雲煙狀的小水點稱霧，虹稱蝃蝀，雲氣蔽日稱蔽雲，霹靂稱霆，久下不停的雨稱淫或霖，雨停稱霽……。風雨與人類生產活動有直接的密切關係，所以先民對風雨的觀察和區分也比較細密。

「星名」解釋古人所觀察的天體中星座的名稱。古人把黃道附近二十八組恆星稱爲二十八宿，分別處於十二星次之中，又分爲東西南北四方，每方各七宿，並把它想像成四種動物形象；東方蒼龍，西方白虎，南方朱雀，北方玄武（龜蛇），各星宿有就其形狀而起的專名，但二十八宿和十二星次名稱不全，疑有脫漏。古人已經觀察到北極星，名爲北辰；金星早晨出現在東方時名爲啓明，黃昏出現在西方時名爲太白或長庚；牛宿之北有由三顆星組成的河鼓星……。古人在長期觀察中總結出一些天文知識，標誌我國古代天文學在當時的世界居領先水平。

「祭名」，解釋四時祭名以及祭祀不同對象的各種祭名。從這些名稱，可以看到上古對祭祀的重視及種類的繁多。

「講武」，指講習戰事，這裡是解釋田獵和習武有關的一些名稱。二者都和季節有關，所以收於〈釋天〉篇中。四季田獵，春獵爲蒐，夏獵爲苗，秋獵爲獮，冬獵爲狩，但各種古籍不盡相同。田獵以冬季爲主，「狩」又爲田獵的泛稱，放火燒草木而獵。出發練兵，勇武而位卑者走在前，收兵返回，勇武而位卑者走在後。

「旌旗」是「講武」所需要的，所以附於其後，解釋各種旗幟的規格、形狀、色彩和圖形。

從〈釋天〉所記天文和曆法知識來看，限於當時人類的認識水平，其中難免有不科學之處，但有許多內容是科學的，標誌著我國上古時代較高的科學水平，具有科學史重要的資料價值。

二、〈釋地〉

〈釋地〉一篇解釋有關地理方面的名稱，其中有政治地理、自然地理、經濟地理及一般地理名詞，分九州、十藪、八陵、九府、五方、野、四極等七類，共四十七條，八十一個名稱。

「九州」，釋傳說中我國上古時期的行政區劃，說明九州州名及其區域所在，屬政治地理。本篇所記與《尚書．禹貢》、《周禮．夏官》、《呂氏春秋．有始覽》、《漢書．地理志》各書所記不盡相同，各州區域也有出入，可能上古時行政區域也曾有變化，故所本不同。這裡所釋的九州是：

冀州：在兩河之間③。其區域包括今山西省大部、河南省黃河以北、山東省西北和河北省東南地區。

豫州：在河之南。其區域包括今河南省黃河以南至荊山（在今湖北省南漳縣西）這一地區。

雍州：在河之西。其區域在今晉陝間黃河之西，包括今陝、甘、寧部分地區。

荊州：在漢之南（漢指漢水），其區域自荊山至今衡陽，包括今湖北大部分至湖南中部地區。

揚州：在江之南（江專指長江），此處解釋不明確。

兗州：在濟（濟水）河之間④。其區域包括今河南省東北部，河北省東南部及山東省西北部的地區。

徐州：在濟之東，從泰山以南至淮北，東濱黃河，其區域包括今魯南、蘇北、皖北地區。

幽州：戰國時燕國屬地，其區域包括今河北省北部及遼寧省西端地區。

營州：戰國時齊國屬地，（〈禹貢〉稱爲青州）。其區域包括今山東省泰山以北，黃河流域及膠東半島地區。

「十藪」，藪，湖澤的通稱，解釋古代十大湖澤的名稱及其所在。據其他古籍，上古有九藪，這裡稱十藪，其中第十藪「焦護」爲漢人所增。其餘九藪的名稱與所在，與其他古籍記載也有出入。這裡所釋的十藪是：

魯有大野：故地在今山東省巨野縣北，已不存。

晉有大陸：故地在今河北省鉅鹿縣，已不存。

秦有楊陓：故地在今陝西省，已不存，具體所在難考。

宋有孟渚：故地在今河南省商丘市東北，距今微山湖不遠。

楚有雲夢：故地大致在今河南省益陽和湘陰以北，湖北省安陸和江陵以南、武漢市以西，今不存。

吳越有具區：又名震澤，即今江浙兩省之間的太湖。

齊有海隅：海隅意爲海濱，山東沿海千餘里多澤藪，這裡是通名而非專名。

燕有昭余祁：又名大昭、昭余，故地在今山西省介休縣東北、祁縣西南。今不存。

鄭有圃田：又名原圃，故地在今河南省中牟縣西。今不存。

周有焦護：故地在今陝西省涇陽縣北，今不存。

這裡所釋的古代十大湖澤，除太湖之外，現在都不存在了，已被泥沙淤塞逐漸成爲平野，它們已經屬於歷史地理名詞。這些記載，對我們了解滄海桑田的大自然變化，了解祖國大地生態環境的變化以及水文地質等考察，不無價值。

「八陵」的「陵」，即大土山，這裡解釋了上古傳說中的八處大陵的名稱，今多無考。這一部分意義不大。它把梁、墳（堤、岸）也歸入這一類，說明「墳莫大於河墳」，使我們知道黃河那時已有高大的堤岸。

「九府」，解釋九方的寶藏和特產，屬於經濟地理。這裡舉出的多是古人視爲珍貴的玉石、犀角、象牙、皮毛之類，如會稽山產竹箭，梁山（衡山）產犀角、象牙，華山產金石（即藍田玉），霍山（太岳山）產珠玉等等，只提到泰山一帶產五穀魚鹽。

「五方」，解釋五方所產的怪異之物，如東方有比目魚，西方有比肩獸，北方有比肩民，中有兩頭蛇等，多爲傳說。這一部分意義不大。

「野」，這一部分根據古時農牧業生產的需要，說明郊野和耕地田畝的名稱。如郊野根據離都邑之遠近，由近及遠：邑外謂郊，郊外謂牧，牧外謂野，野外謂林，林外謂坰；根據地勢高低而稱低濕處曰隰，大野曰平，寬廣而平坦曰原，高而平曰陸，大的陵曰阜（土山），大阜曰陵，大陸曰阿；原，適宜耕種農作物，其次是阪（坡地），再下是隰。初耕第一年的農田曰菑，耕種二年的曰新田，耕種三年的熟田曰畬。這些名稱反映了先民對土地質量的了解。

「四極」，是上古對九州之外四方邊遠國家的稱謂。古人極少與外部交往，這裡所記的都是傳說中極遠處的國家，並非眞有其國。「四荒」是稱四方荒遠的地方。古人又以爲四周爲海疆，居住著其他各族，泛稱東方各族爲「九夷」，北方各族爲「八狄」，西方各族爲「七戎」，南方各族爲「六蠻」；這些數字均非確數，與其他古籍所稱數字不同，都是表示多數。這一部分的內容，表明上古人的活動範圍基本上限於九州，對中國四周的情況了解甚少。對四鄰外族都冠以夷、狄、戎、蠻等輕蔑性稱謂，這些理解都是不科學的。

三、〈釋丘〉

〈釋丘〉的名稱，包括丘和厓岸兩類。

丘，指自然形成的高地、小土山。上古人類常於土丘挖窨洞居住，所以對各種丘的觀察較細，因而區分的名稱也較多。按土層而分，如：敦丘（一層）、陶丘（二層）、崑崙丘（三層）；上有壟界如田畝的稱爲畝丘。按近水和取水而分，如：丘頂有凹窪可存雨水的稱爲泥丘，澤藪中的丘稱爲都丘，水潦環繞的稱爲坶丘，水在丘的前後左右各有專名。就不同交通條件、丘的高低、丘的各種形狀，也都各有專名。這一部分共有四十個名稱。

厓，即水邊；高厓，即岸。古代人類必須生活在近水之處，所以觀察和區分也較細。如上面平坦下面陡峭的厓岸稱漘，水岸向內彎曲處稱隩，向外彎曲處稱隈，高大的堤岸（墳）稱大防……等，這一部分共有十二個名稱。

四、〈釋山〉

〈釋山〉的山，古時指大的石山。本篇與〈釋丘〉、〈釋水〉都屬自然地理。上古經常發生水患，人類多依山或依丘陵而居，所以對山的觀察和區分也較細緻。根據自然形成的山的不同特點，有不同的名稱。如：山大而高稱爲崧，山小而高稱爲岑，銳而高稱爲嶠，相連接的山稱爲嶧，孤立的稱爲蜀，狹長的稱爲巒，多草木的稱爲岵，無草木的稱爲峐，重巒疊嶂稱爲陟，土戴石稱爲崔嵬，石戴土稱爲砠，山脊稱爲岡，山頂稱爲冢，山脈中斷處稱爲陘，兩山之間水溝稱為澗，山西面稱為夕陽，山東面稱為朝陽……等等，這部分共二十七條，四十八個名稱。

關於五岳的名稱，本章有兩條解釋，卻不盡相同：其一釋為「華、嶽、岱、恆、衡」；其二釋為「泰、華、霍、恆、嵩」。其中華山、泰山（即岱）、恆山三者是相同的，其一的嶽山（吳山，在今陝西隴縣）、衡山，與其二的霍山（今安徽天柱山）、嵩山，二說不同。這因為前者是周制，後者是漢制⑤。漢制的稱謂，自然是漢儒增纂進來的文字，非《爾雅》原書之文。

五、〈釋水〉

〈釋水〉解釋關於水的各種名稱，分水泉、水中、河曲、九河四類，共二十七條，六十七個名稱。

「水泉」所解釋的，包括泉和水，以及涉水等有關名稱。如釋泉：泉水時有時無為汧，泉水湧出為濫泉，泉水由上往下流為沃泉（宜灌溉），泉水從測面流出為氿泉，泉水潛出後停積不流動為汧等等。這種區分，反映了泉水與古人生產和生活的密切關係。

在這一部分中還提出重要河流的著名支流。黃河的支流為澭（澭，位於今河南省濮陽縣北的瓠子河）；濟水的支流爲濋（滎，在今河南省鄭州西北，已淤塞）；汶水的支流爲闡（汶水即今山東境內大汶河）；洛水的支流爲波（洛水發源陝西流入河南）；漢水的支流爲潛（灊，或爲今湖北省潛江縣蘆洑河）；淮水的支流爲滸（淮發源桐柏，流經河南安徽入江蘇）；長江的支流爲沱（今四川省渠江諸水）；渦水的支流爲洵（渦爲淮水支流，在今安徽省東北部）；潁水的支流爲沙（潁爲淮水最大支流，在河南省東部和安徽省西北部，其支流沙河在今河南省中部）；汝水的支流爲濆（汝水即今河南省北汝河，濆即今河南省郾城和商水兩縣的沙河）。古人稱四條入海的大川爲四瀆：即江、河、淮、濟（後來，淮河不直接入海而流入洪澤湖）。《爾雅》所記的河流，有的水道已改變，有的支流已湮廢，然而從這些記述，我們可以大致了解上古水系的基本面貌，從水的流向也可以大致了解地貌及其變化。

關於渡水交通，步行渡河爲涉，水淺不及膝而提起衣服涉過河爲揭，水深過膝連衣涉過河爲厲，游過河爲泳；天子用浮橋。諸侯用四船相連，士乘一舟，庶人乘筏；逆流而上爲溯洄，順流而下爲溯游，橫渡爲亂。這類名詞大多見於《詩經》。

「水中」解釋人可居住的水中陸地的名稱。水中陸地爲洲，小洲爲渚，小渚爲沚，小沚爲坻，人工建造的水中高地爲潏。

「河曲」解釋黃河中上游河道曲折情況，說明黃河源出崑崙山基部，水流較清（色白）。容納一千七百條河流為一條大河，穿行黃土高原而合泥沙（色黃），百里一小曲，千里一大曲。「九河」言黃河下游九條支流的名稱。據〈禹貢〉：禹治水後黃河流到華北平原中部分為九條河流。但黃河下游多次改道，現今的黃河是從原來的濟水河道入海，這裡所說的九河故道久已湮廢，已難考證。

天文地理類五篇一百八十二條，共釋三百五十個名稱。這些名稱不但為我們閱讀古書提供第一手訓詁材料，而且較為全面地反映了我國古代天文學和地理學的基本面貌，其有關水系、地貌的原始記載，對現代化建設仍有參考價值。

❖植物動物類

植物動物類包括〈釋草〉、〈釋木〉、〈釋蟲〉、〈釋魚〉、〈釋鳥〉、〈釋獸〉、〈釋畜〉七篇。這一類釋詞較多，共五百六十七條、八百二十三個名稱，其篇幅占全書三分之一左右；其中植物類二百八十條、三百五十二個名稱；動物類二百八十七條，四百七十一個名稱。

一、〈釋草〉

〈釋草〉解釋草本植物的名稱，共二百條，二百三十六個名稱。原書沒有分細類，編排散亂，我們可以把它們分爲糧食作物、菜蔬、野生植物、觀賞植物等類。

糧食作物包括食用的、飼料用的、釀酒的。它們反映了上古時代我國糧食作物的主要品種，有粢、粟、豆、稌、麥諸類。粢即稷，俗稱穀子，去殼爲小米，是上古的主要食糧，因此根據品質的不同又區分多種名稱，如穈（赤苗的上等穀子）、芑（白苗的上等穀子）等。粟，其實也屬穀類，即俗稱粘穀子。秬，釀酒的黑黍。秠，一殼只有兩粒米的低產作物。稌，即稻。荏菽，即大豆。蘥，即燕麥，多作飼料。還有一種作物稱爲皇，生長於低濕田，成熟即脫籽，來年復生，產量很低。這些糧食作物，有的因產量低或品質差，後來被淘汰，傳到現在仍在種植的作物，已經過長期培育，品種多已改良。現在種植的作物，有一些上古並沒有，而是後來從外域引進的。

菜蔬之類作物的名稱較多，反映上古糧食並不充裕，瓜、菜在人類食物中有重要份量。有些蔬菜從上古到現在，如葖（蘿蔔）、彫蓬（茭白）、薺、葑（芥菜）、芹、蕢（莧菜）以及瓟、瓞、瓝、鉤（王瓜）等瓜類。有的已施行了人工栽培，如韭、葱、蒜。也有的不再食用。

觀賞植物只記有荷花、薔薇、蘭、以及葒草、凌霄等花卉。

野生植物在本篇中占最大篇幅。在大自然中，野生植物何止萬千種，人類至今也未能完全認識。本篇所訓釋的，都是因爲和上古人們的生產和生活有較密切的關係，因而被認識。主要有三類：

一、是可以在饑荒年月代替糧食食用的野菜，如葥（掃帚菜），荼（苦菜）、莶（馬蘄菜）、莱（茹菜）、薇（野豌豆）、拜（灰菜）、蕨等等，還有可作飼草（幼嫩時或可人食）的各種蒿類。

二、是可以入藥的，即藥草，如薜（當歸）、朮（白朮、蒼朮）、萑（益母草）、艾（針炙用）、莎（香附子）、芣苢（車前子）、苓（大苦）等等。

三、是有實用價値的，如可作染料的蕿（黃色染料）、葝（黑色染料）、茜（紅色染料）、藐（紫色染料）、葳（製藍靛）等等；可用於編織的黍蓬、莞（蒲草）等可編蓆、墊；苔草可編蓑衣、雨笠；薜（野麻）、芒可製繩索、草鞋；可用於建築的如茅、狼尾草等可鋪房頂。……

古人經過長期觀察和實踐，逐步認識到一部分野生植物的特性及其使用價値，使用於生產和生活之中，於是產生了這些詞語。

〈釋草〉對研究我國農業史和古代植物學，以及了解上古時代人們的生活狀況，提供了重要的資料。

二、〈釋木〉

〈釋木〉解釋木本植物的名稱八十條、一百十六個詞語。自然界樹木種類很多，古人認識到的這一些，也都是與他們的生產和生活有密切關係的。主要有喬木、灌木、果木三類。

喬木包括落葉喬木和常綠喬木。落葉喬木有櫝（楸）、櫓、椵、杉、桐、楓、槐、栩（櫟）、柞以及榆類、檀類、柳類。常綠喬木有柏、楠、栲（臭椿樹）、柚、樅等等。這些大小喬木或可用爲建築材料，或可製作家具、器具、棺木和製作車輛，或其葉可飼蠶，或其實可食。

灌木如杞（枸杞）、芫、牛棘、常棣、枹、檓（花椒樹）等等，或可入藥（常棣、枸杞、芫），或其實可食（檓）。

果木在本篇見名的有栵（茅栗樹）、甘棠、棪（類似蘋果）、朹（山楂樹）、蘿（山梨樹）、楔（櫻桃樹）、桃、李、棗、梨、木瓜以及苦荼（茶樹）等等，其中，桃、李、棗的品種較多，各有名稱。

從這些名稱可以看到，上古人們所認識的木本植物，主要是具有木材、藥物、油料、乾果、水果等經濟價值的樹木。幾千年來，只有因爲園藝的發展，水果有新的品種和品質有所改進，其他樹木沒有大的變化。

三、〈釋蟲〉

〈釋蟲〉五十六條，記述昆蟲名稱八十一個，間或說明其特性。當時社會以農業生產爲主，所以注意辨識食害農作物和林木的各種害蟲，同時也注意辨識危害人體的害蟲。這些記述說明當時的農業生產已經注意到防治蟲害，農業科學具有初級水平。所辨識的農林作物害蟲有蝵（螻蛄）、蜚（食稻花小飛蟲）、蛣蜣（屎克郎）、蝎蟲（果木蠹蟲）、蠰（桑樹蠹蟲）……以及各類蝗蟲、螳螂、蛾、螟等等。所辨識的危害人體的害蟲有蝜衘（蚰蜒）、蒺藜（蜈蚣）、蛭（螞蝗）、土蜂以及螫人或蛀食衣物的各種毛蟲等等。此外還辨識了各種習見的昆蟲，如各種各樣的蟬、蟻、蟋蟀、虰蛵（蜻蜓）、蜘蛛、蜉蝣等等。自然界昆蟲種類很多，難以完全辨識，所以本篇最後一條又解釋說：「有足謂之蟲，無足謂之豸」，這就從形體特徵上把昆蟲分爲兩大類，後世便把「蟲豸」二字作爲昆蟲的通稱。

四、〈釋魚〉

〈釋魚〉是關於水生動物名稱的解釋和說明。全篇四十二條，編排大體分三個部分：前面是魚類，中間部分是貝類和雜類，後面是兩棲動物和爬行動物，共釋名稱七十五個。

限於上古時代人類漁獵的條件和範圍，當時人們經過長期實踐，只能辨識魚類的一部分種類，如鯉、鱣、鰋（即鮎）、鱧（黑魚）、鯇（草魚）、鯊（一作魦，一種小魚），鰼（即泥鰍）、鱀（江豚）、鮤（刀魚）、魴、鯬（鰻）、鰝（大蝦）、魵（蝦）……。蚌螺類如蚌、螺、蜃（大蛤蜊）、珧（小蛤蜊）、蚶、螖蠌（蟹類）等等。兩棲動物如蟾蜍（癩蛤蟆）、鯢（娃娃魚）。爬行動物如各種蜥蜴、各種蛇類以及鱉、龜等。

〈釋魚〉把兩棲動物，尤其是把爬行動物這些非水生動物同水生動物的魚歸爲一類，把孑孓（蚊的幼蟲）也歸入這一類，都是不科學的。

上古人們以龜甲占卜，把龜視爲靈物，稱爲「神龜」、「寶龜」，予以神化。這裡匯集了許多龜名，還有傳說中能飛的「螣蛇」，也都在這一類。這些都是受當時自然科學發展水平的限制，不能用現代動物學的分類標準來要求。

五、〈釋鳥〉

〈釋鳥〉是關於禽鳥類動物名稱的解釋，七十九條，一百十八個名稱，其中一部分說明其形體或習性。

篇中說明區別禽和獸的形體特徵：「二足而羽謂之禽，四足而毛謂之獸。」如何分別禽的雌雄呢？篇中也說明區別雌雄的形體特徵：「以翼右掩左，雄；左掩右，雌。」這兩條說明抓住了最突出的特徵，一目了然。

上古所辨識的禽鳥，所屬範圍很廣，有鷹雁類、梟類、水鳥類、燕雀類，以及雉鵝鴨類。鷹雁類如鷹、雁、鶚（鵰）、鸇（鷹類猛禽）、鶬（灰鶴）等等。梟類如鴟鴞、茅鴟、怪鴟、鵅、鶨等貓頭鷹屬。水鳥類如鴗（天狗）、鵜、爰居（大海鳥）、鷺鷥、鴢（魚鵁）等，其中大多可用於捕魚。燕雀類如燕、鵲、鷦（小黃雀）、鷸（翠雀）、倉庚（黃鶯）、鳲鳩（布穀）、鵪鶉……以及各種鴉屬。雉（野雞）是受喜愛的野味，是獵人普遍的狩獵對象，就其體型、色彩和活動範圍，有十餘種細緻區別的名稱。舒鴈（鵝）、鳧（野鴨）與雉歸爲同類，因爲鵝、鴨不屬於六畜之一，當時還沒有普遍飼養，所以不屬於家禽。

另外，蝙蝠、鼯鼠本來都屬於哺乳動物，只因爲它們能飛行，所以古人誤以爲是鳥類，也編入這一類。

六、〈釋獸〉

〈釋獸〉解釋各種獸類的名稱六十三條，一百〇二個名稱，分寓屬、鼠屬、齸屬、須屬四類，其中除鼠類一條一個鼠名，其餘大多就某獸的雌雄長幼說明其不同名稱，或其形體特徵和特性，如「羆如熊，黃白文（花紋）」；「狒狒，如人，被（披）髮，迅走，食人。」

「寓屬」的「寓」，本意是寄寓或寓居於木上，這裡引申爲寓居於土木之上而區別於鳥禽類的一般野獸。所釋的有麋、鹿、麕（獐）、麝、狼、兔、虎、貘（白豹）、麃、熊、羆、狻猊（獅）、羱（高原野羊）、兕（獨角野牛）、羚羊、犀牛、貛、猬、狐、豺、狒狒、猩猩、各種各色猿猴，以及傳說中的猰貐、麒麟等等。《爾雅》把六畜之一的豕（豬）也收在這一類，當是誤收。

「鼠屬」十三條舉出十三種鼠名，反映了上古人類對害鼠，如各種鼴鼠、田鼠、家鼠、松鼠，以及可利用其皮毛的鼬鼠等等，已有較細的辨別和認識。

「齸屬」解釋反芻動物。「齸」是反芻動物反芻的稱謂，這裡提出牛、羊、麋鹿，它們的反芻有不同的名稱。鳥、猿猴雖然喉下或頰內有裝貯食物之處，卻不是反芻動物，《爾雅》誤歸爲一類。

「須屬」的「須」，指休息或喘息的動作，這一部分的各條，是說明人、獸、魚、鳥休息或喘息動作的，並非解釋動物名稱。《爾雅》把「齸屬」、「須屬」作爲與「寓屬」、「鼠屬」同列的兩類，在體例上很不一致。

七、〈釋畜〉

〈釋畜〉是關於各種家畜名稱、形體特徵和習性的說明解釋，分馬屬、牛屬、羊屬、狗屬、雞屬、六畜諸類，共四十七條、九十五個名稱。

「馬屬」的內容最多。古人非常重視馬，因爲它是出行代步、駕車、運輸所需的重要交通工具，又爲宗廟祭祀、戰事、田獵所不可缺少，因而對馬的辨識和區分較細，能夠根據馬的產地、形體、毛色、牡牝、長幼、壯健、足力、習性等等各有專名，甚至按照其軀體各部位毛色細加區分。這樣細的區分，是根據當時的實際需要，古人講究不同的用途注意選擇不同的馬匹，不得不細分。其中尤其重在解釋良馬，有的還說明其特長，如「騉，善陞巘（登山）」，「駥，絕有力」等等。

「牛屬」的體例同「馬屬」，按照牛的長幼、大小，毛色、角狀等形體特徵，釋牛名和有關名稱十六個。其中的犦牛、犪牛是野牛。古人利用牛犁地、拉車，這兩種野牛，前者健步，後者高大體重。把它們歸入畜類，表明當時已經注意並且進行了某些野牛的馴養。

「羊屬」的體例同上，釋各種羊的名稱九個。古時「羊」字泛指白羊，其公羊稱羒，母羊稱牂。黑羊的名稱是夏羊，其公羊稱羭，母羊稱羖。羊腹下毛黃的稱羳。幼羊稱羜。

「狗屬」釋狗名八個，其中有大狗、小狗和形體不同的狗。古代又把大狗稱爲犬，小狗稱爲狗，但有時「犬」、「狗」二字又通用，而細分時又各有名稱，如「未成毫」的稱「狗」，一胎三仔的狗仔稱稯，一胎二仔的狗仔稱師，一胎一仔的狗仔稱玂，獵犬長嘴的稱獫，短嘴的稱猲獢，多毛狗稱尨。

「雞屬」只說明一種大雞名蜀，其子名餘，雞雛名側，强健有力的名奮。

「六畜」，指當時人們飼養的馬、牛、羊、彘、狗、雞六種家畜和家禽。彘，即豬，前面已誤編入獸類。這一部分只說明六畜中體軀特別高大者的名稱，如體高八尺的馬爲駥，體高七尺的牛爲犉，體高六尺的羊爲羬，體高五尺的豬爲豟，體高四尺的狗爲獒，體高三尺的雞爲鶤。自古以來，歷代各地度制不同，這裡所謂的「一尺」，其實際長度不等於現在的一尺。以上尺數，只能作爲比較數來看。

以上植物動物類的名稱，不但記錄了古人對自然界植物和動物的認識，反映了上古植物學和動物學的發展水平，也使我們對當時的植物、動物的狀況有所了解。孔子說：「小子何莫學夫詩？詩可以興，可以觀，可以羣，可以怨。邇之事父，遠之事君，多識於鳥獸草木之名。」（《論語．陽貨》）《爾雅》所解釋的詞語，除了有許多是《詩經》上的，還有許多是其他古籍上的，或未載於經傳的各地方言俗語，其數量遠較《詩經》爲多，因而所能起的「多識於鳥獸草木之名」的作用更大了。

綜合《爾雅》全書以上五大類，十九篇，一千〇六十四條，匯集三千一百十五個詞語。就這個數量來說，算得上是上古時代的一部詞典式的鉅著。其中，第一類非名物詞語一百七十三條，計一千五百九十三個單詞和複詞，可以說是一般詞語詞典；其餘四類是名物詞語，計八百九十一條，釋各類名物詞語一千五百二十五個，就其範圍之廣，完全可以說是百科名詞詞典。

第三節 《爾雅》的體例和訓詁方法

作爲我國古代最早的一部訓詁匯編，它的體例和訓詁方法，對中國後世的訓詁學和詞書編纂學，都有深遠的影響。

《爾雅》的編纂宗旨，是「釋古今之異言」，「通方俗之殊語」。這就是說，由於古今語言詞匯意義的變化，用今言解釋古語；由於各地方言俗語不同，用通行語釋方言。現代的古漢語詞典和方言詞典，分別體現這兩項宗旨。現代的綜合詞典，除了以今語、通語釋古語、方言，還訓釋常用詞語和古今通語，則收詞範圍較廣、詞語較爲完備，但是，《爾雅》所開創的編纂宗旨，仍然是最基本的。除了特殊目的之外，誰去翻檢詞典查常用語詞呢?所以《爾雅》的編纂宗旨，體現了人們對詞書的最普遍、最基本的需要。

《爾雅》是先秦訓詁材料的匯編（西漢又有所增加），把一千多條、三千多個詞語的訓詁材料匯編在一起，其編排體例採用分類法，以便於檢索。它把所收詞語分爲兩大類，大類中再分小類，有的小類再分目，大體上井然有序。這樣把衆多材料分類組織的方法，也爲後世所取。

《爾雅》訓釋一般詞語的編排體制是先單詞（〈釋詁〉、〈釋言〉），後複詞（〈釋訓〉）。現在的詞典仍仿行這種體例。訓釋名物詞語的編排體制是以物分類，即把性質相近的事物編爲一類，然後逐類分條訓釋；同一大類又可分爲若干小類，根據需要也可再分目；這樣眉目清楚，檢索方便。現代許多百科全書、匯編，都繼承這種按內容分類編組的體例。《辭海》按學科分册出版時，也用這種體例。

《爾雅》訓釋詞語是用義訓的方式。所謂義訓，是以詞語在語言中實際使用的意義直接解釋詞義，不從字形結構或字的音義關係上去分析推論，而以通語、常語去解釋不易知的文言、古語或方言俗語。這是我國後來一般解釋古書詞語的字書、辭書所通用的方式。義訓解釋的具體方法很多，《爾雅》主要使用了以下方法：

一、**直訓**，即直接用一個單詞解釋一個單詞，如：「肇，始也。」「干，求也。」「揆，度也。」被釋詞在前，釋詞在後。也可以被釋詞在後，釋詞在前，如：「大波爲瀾，小波爲淪。」

二、**同訓**，即把一組同義詞匯集起來用一個常用的詞語來解釋，如上舉〈釋詁〉諸例，被釋詞是古語詞，釋詞是當代語詞。這樣除了達到訓義的目的，又便於掌握和比較同義詞。

三、**遞訓**，即爲了說明詞義，幾個詞輾轉相訓。如：「速，徵也；徵，召也。」速，是招致的意思，也可引申爲召集、邀請，用「徵」來訓釋還不夠明白，所以又訓「徵，召也。」「速」是徵召的意思就清楚了。又如「茮苢，馬舄；馬舄，車前。」茮苢是古語詞，用俗語馬舄來訓釋，用這個俗語詞怕不完全爲人們了解，所以又用藥草名「車前」，再作訓釋，茮苢的訓義就完全清楚了。遞訓就是對訓釋詞再作訓釋，以求準確地表明被訓釋詞詞義。

四、**分訓**，即對多義字的訓釋，或分條分別說明它們的意義，或在同條中分別列幾個義項，見前文關於「同文訓異之例」所舉諸例。

五、**互訓**，即意義相同的語詞互相訓釋，也就是用甲釋乙，又用乙釋甲，如「亮，右也。右，亮也。」

六、**義界**，即用一句話或幾句話對所釋語詞的意義作出概括的界說。使用義界有四種情況：一是被釋古語詞或方言語詞找不到相當的今語或通語來對釋，只能對其意義作概括解釋，如「日出而風爲暴」；「禘，大祭也。」二是被釋詞爲專名詞或基本語詞，無法用別的單詞對釋，只能對其含義作具體說明，如「女子子（女兒）之夫曰婿。「子之子爲孫。」三是對被釋的名物的形象或特性作具體的描述，如：「蛸，毛刺。」「狒狒，如人，被髮，迅走，食人。」又如：「九州」，則將九州名稱及位置逐一說明。四是對某些語詞的歷代沿革作解釋，或對成語和語句作解釋，如「載，歲也；夏曰歲，商曰祀，周曰年，唐虞曰載。」「如切如磋，道學也。如琢如磨，自修也。」

《爾雅》還運用了以共名釋別名、以學名釋俗名的訓詁方法。如「蚍蜉，大螘（蟻），小者螘。蠪，虰螘。螱，飛螘。」「蟻」是螞蟻類的共名，蚍蜉是大螞蟻，蠪是大紅螞蟻，螱是帶翅的蟻，這樣因類求義，相當清楚。又如「茨，蒺藜。荼，苦菜。」茨、荼是學名，蒺藜、苦菜是俗名，這樣不僅是以俗名釋學名，也起到俗名、學名互釋的作用。

在《爾雅》中被釋的語詞，有單詞、複詞，也有四字的成語和古籍中難懂的語句。成語和句語大多出自《詩經》。我國詞典把成語作爲詞條，也始自《爾雅》。

綜上所述，《爾雅》的訓詁方法是多種多樣的，大多被後世的訓詁著作和字書、辭書所繼承和發展。

《爾雅》又畢竟產生於西元三、四百年前的上古時代，而且是第一部古代訓詁資料匯編，必然受到當時自然科學和社會科學發展水平的局限。因而，它的體例和訓詁方法不可避免地還存在許多缺點。這些缺點表現在體例不夠嚴密，分類和歸類有不合理之處，有的訓釋方法不科學（如前舉「訓同義異之例」），由於是匯編不同時期的訓詁資料，有重複和釋義前後相左乃至矛盾之處。它訓釋的內容，還沒有展示出較完整的義類，訓釋所用詞語大多較爲籠統，或不確切，有的觀點已經陳舊。這些，我們都不能用兩千三百年後的今天的尺度來衡量。

第四節　《爾雅》的價值和使用

《爾雅》是中國上古時代第一部內容比較系統而完備的語詞詞典和小百科詞典，在世界文化史上也是系統而完備的詞書開創性著作。

《爾雅》把先秦各個時期的訓詁資料匯編在一起，其編纂目的就是解釋文獻中的語詞和名物。漢代的語言文字已有很大的發展變化，先秦古籍中的許多語詞艱澀難懂，許多名物更難辨識，而讀經、通經是當時全國文化教育的主要內容，迫切需要學習先秦經籍的訓詁書。適應這個社會需要，當時出現了一批儒家經書的訓詁著作，然而都是解釋一部經書，隨文釋義，而且都是今文經學，側重於闡發各該經書中的「微言大義」，並不注重詞語文字的訓釋。因而，《爾雅》這樣一部比較全面而系統地匯釋古詞古義和名物的詞典，其作用是任何一部經書的訓詁書所不能代替的。當時也已經有了《蒼頡篇》⑥、《急就篇》⑦之類的字書，但只是介紹秦小篆文字的，並不具有解釋詞義和百科詞典的性質和作用。因此，《爾雅》便成爲漢代士人讀經、通經的最重要的工具書。以後，《爾雅》又被列爲經書，其影響更大。如前面的引述，它被視爲「訓故之淵海，五經之梯航」，「六籍之戶牖，學者之要津」。直到清代，學者們仍然推崇它：「夫六經皆以明道，未有不通訓故而能知道者。欲窮六經之旨，必自《爾雅》始。」（錢大昕《潛研堂文集・與晦之論《爾雅》書》）以上評語，把《爾雅》在古代的價值說得很清楚了。

在現代，它仍然是我們研讀先秦古籍的最原始的訓詁資料。但它對我們的價值，不僅僅在於幫助我們閱讀先秦古籍，而可以更爲廣泛地利用於語言學、歷史學、辭書學的各個研究領域。

首先就語言學而言

《爾雅》匯集了大量上古漢語詞匯，全書被釋詞三千一百五十個，加上解釋詞中的詞語，共四千一百四十八個，比較完整地反映了上古漢語語詞的基本面貌。這對我們研究漢語史，了解上古漢語詞匯概況，具有重要的意義。略舉數例：

一、**從這些語詞可以幫助我們認識古代詞匯發展的規律**。如〈釋親〉中所載上古「甥」的稱謂：姑之子、舅之子、妻之兄弟、姊妹之夫都稱爲「甥」；〈釋獸〉、〈釋畜〉中所載上古「狗」的稱謂：虎、牛、犬的幼子都稱爲「狗」，馬的幼子稱「駒」，羊的幼子稱「羔」，而「駒」「羔」二字也是「狗」字的音變。可見在漢語詞匯發展的初期，詞匯的意義偏於綜合，統稱較多。隨著思維的細密，則趨向分化，分化出不同的名稱，如「甥」一詞分化出表兄弟、內兄內弟、姊夫妹夫；「狗」一組分化出崽、犢、駒、羔等。當雙音節合成詞大量產生，改用詞素組合來區別近似事物，詞匯的發展又趨綜合，如鼢鼠、鼸鼠、鼷鼠、鼬鼠、鼩鼠……十二個鼠名，都是由同一詞根組成的合成詞，所表示的意義則趨向精確。從籠統趨向細密，由綜合趨向分化，再趨向新的綜合，這是《爾雅》所能顯示的漢語詞匯發展的規律，從中我們也可以總結出字源和合成詞構成的理論。

二、通過《爾雅》訓釋的詞義，我們可以了解許多詞語的古義，弄清相當一部分古今詞義的區別。如「台、余、予，我也。」余、予、我，都是第一人稱代詞，在現代是容易理解的，「台」字的古今意義就不同了。「台」古音和余、予聲近，是余、予的方言變體。又如「務、鶩，强也。」「强」是竭力、盡力的意思，「務」意爲勉力從事，「鶩」是「務」的同聲字。在上古文獻裡，同聲字多通用，明白了同聲通用之例，就能夠解決類似的許多問題。《爾雅》訓「祖」爲「始也」，《尚書・舜典》有「黎明阻饑」，〈小雅・六月〉有「徂署」，「阻」和「徂」都和「祖」同聲，同聲通用，《尚書》和〈六月〉這兩句就能確切理解了。《爾雅》又訓「席」爲「大也」，在現代漢語裡這個字當名詞席子講，「席捲」的「席」也是名詞用作動詞，而〈鄭風・緇衣〉「緇衣之席兮」句中就是當「大」講的，這是取其形狀有「大」的意思，即取引申義。明白了引申取義之例，也能解決許多問題。《爾雅》釋詞數量多，有的語詞還是從氏族社會時代遺留下來的，比較詞義的變化，可以增長知識，提高語言能力。

三、《爾雅》可以幫助我們辨析、比較古籍中的同義詞。嚴格地說，意義完全相同的同義詞是沒有的，詞匯學所謂的同義詞，實際是指意義大致相同的近義詞。《爾雅》收進的同義詞，實際包括等義、近義以及引申義和假借義。一組同義詞，同中有異，在使用上各有所宜，不能不加區別，某些詞可以通用，某些詞義只適宜於某些具體的語言環境。《爾雅》雖沒有在這一方面作具體解釋，它主要的貢獻是列出了最早的同義詞表。

其次，就社會歷史學而言

《爾雅》有十六篇是訓釋各類名物的，以物分類，從人文關係到天文地理，從建築器物到動植物，類屬衆多。除了閱讀古書遇有不懂的名物語詞檢索求解，如果通讀一遍，又可增加對古代社會和自然狀況的了解。

在社會狀況方面，它們反映了由氏族社會發展而來的宗法社會的人文關係。以男性血緣關係結成龐大的宗族，嚴分嫡庶，男尊女卑，通過嫡長子繼承制和血統遠近而建立起宗法秩序，又通過內外姻親關係把有關宗族相聯繫。〈釋親〉還保留著母系氏族社會的遺迹，如前面舉的「甥」，本義爲異姓所生，指都可來與本族女子通婚。男子謂姊妹之子爲「出」，也同是母系社會婚姻形式的遺迹，因爲實行族外婚，姊妹之子必須離開本氏族到外氏族婚配，所以稱爲「出」；到父系社會，姊妹本人已經嫁到外氏族，她們的兒子屬於外姓血統，所以「出」這個名稱便爲「甥」所代替。古人只强調男性血統，不准本姓通婚，不知道表兄妹是近親結婚也有害。又如，從祭禮、出行、服飾等等可以看到王權、各級貴族和庶民的嚴格等級；從政治地理可以了解當時的行政區域；從其他各種名物可以了解當時人們的物質生活和生活狀況。

在自然狀況方面，有關天文氣象、自然地理、經濟地理、農牧業以及各種動植物的名稱及其義界，反映了上古人們經過長期觀察和實踐所總結的知識，表現了各門類自然科學所達到的水平。雖然這些認識尚處於科學發展的早期階段，而其中不乏重要的科學發現。我們也可以看到自然界處於不斷的發展變化中，河流改道，山嶺改觀，滄海桑田，生生滅滅，人類對自然的認識也不斷深化和發展。這些爲我們研究各個門類的科學史，如天文學史、水利史、農業史、植物學史和動物學史等等，提供了重要的上古資料。

再次，就辭書編纂學而言

《爾雅》已經具備了詞語詞典和小百科詞典的雛型，如前所述，它提供的編纂體例和訓詁方法，一直爲後世所繼承和發展，並且發展得更加靈活、科學、精確。《爾雅》乙功，不可沒焉。

第五節 《爾雅》的注疏和「羣雅」

《爾雅》雖然是用今語、通語釋古語、方言俗語，可是當時的「今語」和「通語」，有許多詞語在後世又成爲古語，和現代漢語已有很大的差別，不易爲現代讀者所完全了解。所以，閱讀和使用《爾雅》必須依靠許多古人和近人的注疏。

❖主要注疏本

從漢代到近代，《爾雅》的注疏，據《中國叢書綜錄》所收書目達百種以上。在東漢時代已經有《爾雅》多種注本，但早已亡佚，只有其他古籍中還保留著被徵引的片段。清人曾把這些片段輯錄成册，如黃奭《爾雅古義》（見《漢學堂經解》）、馬國翰《經編爾雅類》（見《玉函山房輯佚書》）、臧庸《爾雅漢注》（見《問經堂叢書》），但只能見其鱗爪，難窺全貌。

現存最早的《爾雅》注本是東晉郭璞的《爾雅注》。郭璞是東晉初年著名的語言文字學家和博物學家，以十八年的時間博訪周諮，薈萃衆說，完成《爾雅》全書注釋。南朝陳代學者陸德明又爲郭注作了音義，兼採諸家訓詁，考校各本異同，完成《經典釋文》卷二十九至三十的

《爾雅音義》。北宋初年邢昺等人又爲郭注作疏，其體例謹嚴，多能引證，有較高學術價值，即後來收於《十三經注疏》本中的《爾雅注疏》，題名郭璞注、邢昺疏，爲當今通行本。

清代考據學和語言文字學興盛，《爾雅》屬於小學，對它研究和注疏的著述頗多。其中兩種主要的著述是邵晋涵的《爾雅正義》和郝懿行的《爾雅義疏》，二書均收《清經解》。邵著的主要貢獻是校正文字，採錄舊注，以古書證《爾雅》，補郭注之不足。郝著內容豐富，是所有《爾雅》注本中最爲詳贍的一部，其中最出色的是據目檢驗考釋名物，也以實事求是的科學批判精神和對生物現象的實地考察，廓淸歷代相傳的一些謬說，尤其對草木蟲魚的說明大多翔實，超過以往注釋；但也有察物未精和釋義不中肯綮之處。他「以聲音貫串訓詁」的努力，成績不大而疏誤較多，在其他方面則瑕瑜互見，得失相參。王念孫有《爾雅郝注刊誤》一卷（見《殷禮在斯堂叢書》），可作讀郝著的參考。今人徐朝華著《爾雅今注》（南開大學出版社），簡明扼要，深入淺出，博採衆長，吸取現代科研成果，較舊注有所提高。

❖「羣雅」

自漢以來，陸續出現了許多仿《爾雅》體制，作《爾雅》續編、廣編的著作，統稱「羣雅」。據《中國叢書綜錄》，所收書目，也在百種以上。

明以前的「羣雅」著作，明人畢效欽和郎奎金先後輯有「五雅」，畢輯本爲《爾雅》、《釋名》、《廣雅》、《埤雅》、《爾雅翼》；郎輯本則將《爾雅翼》換爲《小爾雅》。它們可作爲明代以前「羣雅」中的重要著作，簡介於下：

一、《小爾雅》，舊題漢．孔鮒撰。本書爲增廣《爾雅》而作，共一卷十三篇：廣詁、廣言、廣訓、廣義、廣名、廣服、廣器、廣物、廣鳥、廣獸、度、量、衡，晋人李軌有《小爾雅解》，清人宋翔鳳有《小爾雅訓纂》，胡承珙有《小爾雅疏證》等。

二、《釋名》，東漢劉熙撰，全書二十七篇（類），體例與《爾雅》大致相同，但解釋的詞類較爲廣泛，訓釋的內容略詳，解釋語詞的由來和意義，並且大部分採用同聲同訓，即「音訓」。它是「音訓」的創始之作。繼《爾雅》之後，它又解釋了東漢以前的許多制度名物，有助於閱讀漢代文獻。清人畢沅有《釋名疏證》。

三、《廣雅》，魏．張揖撰，也爲增廣《爾雅》而作。篇目與《爾雅》完全相同，可以說是《爾雅》的補充本和修訂本。它一方面補充了古代經典和通行著作裡的名物詞類，一方面又考釋了當時八方方言和庶物易名，還增加了許多新字新詞，從而反映了漢魏時期我國語言文字的概況，在我國語言文字史和訓詁史上有較高的地位。清人王念孫以十年功夫著《廣雅疏證》，是清代漢學家整理古字書的名著。王著對《廣雅》版本進行校勘，補正文字訛脫，又就古音以求古義，考正舊說，發明前訓，修訂了《廣雅》中的誤說，是研究《廣雅》的最好注疏本；後又寫成《廣雅疏證補正》作爲補充本。此外，錢大昭等還著有《廣雅釋義》等書。

四、《埤雅》，北宋張佃撰，也是《爾雅》的補充本，「埤」，就是增加的意思。本書所增釋的都是名物，計釋魚、獸、鳥、蟲、馬、木、草、天共八篇二十卷，訓釋內容除說明所釋對象的形體特徵，也常常解釋其名稱由來。雖然有時流於穿鑿附會，但全書徵引廣泛，保存了許多有價值的資料。

五、《爾雅翼》，南宋羅願撰。「翼」是輔翼的意思，本書也是《爾雅》的補充本。全書專釋草、木、鳥、獸、蟲、魚，六篇三十二卷。本書特點是考證較精，體例較嚴，每卷卷末附有元人洪焱所作「音釋」。

明人的「羣雅」著作中，影響較大的有朱謀㙔撰的《駢雅》、方以智撰的《通雅》。《駢雅》專收雙音詞，是我國第一部聯綿詞典。《通雅》的內容大多已超出《爾雅》的範圍，近似百科事典的性質，但分目細密，解釋較詳，考證較精核，有一定參考價值。

清人的「羣雅」著作中，影響較大的有《別雅》、《比雅》、《拾雅》、《疊雅》、《支雅》、《選雅》等等。

《別雅》，吳玉搢撰。內容是將假借字依韻編錄，一一注明出處，並爲之辨證。

《比雅》，洪亮吉撰。內容是徵引經史傳注和見於其他古籍的訓詁，仿《爾雅》體例編排。因爲所採訓詁多用兩兩對比的形式，所以名爲《比雅》，對研究古漢語中的同義詞和反義詞，提供了不少資料。

《拾雅》，夏味堂撰。「拾雅」就是拾《爾雅》之遺的意思，篇目同於《爾雅》。

《疊雅》，史夢蘭撰。內容是收集古書中的疊字詞，按《爾雅·釋訓》的體例條例，標明出處，加以疏證，間或注音。

《支雅》，劉燦撰。「支雅」就是《爾雅》支派的意思，內容是解釋《爾雅》未收的一些制度名物，如釋人、釋官、釋禮、釋兵等。

《說雅》，朱駿聲撰，附於《說文通訓定聲》書後。「說」指《說文》，這個名稱的意思是把《說文》所收的字按《爾雅》的體例和篇目編排成書。

《選雅》，程先甲撰。「選」指《文選》，按《爾雅》體例和篇目將《文選》李善注的訓詁編排起來。

以上清人這些「羣雅」之書，各有短長。

對《爾雅》的研究和注疏，《爾雅》的續編和仿《爾雅》體例的著作，以及對「羣雅」的研究和注疏，統稱爲「雅學」。從漢代迄於現代，「雅學」有兩千年的長遠歷史，有內容相當豐富的著述，對漢語言文字學的發展，作出重要的貢獻。

注釋

①十二地支：子、丑、寅、卯、辰、巳、午、未、申、酉、戌、亥。

②十天干：甲、乙、丙、丁、戊、己、庚、辛、壬、癸。

③兩河：古代，河專指黃河，其上游於今晋陜間北南流向，至河南武陟縣以下，向東北流經山東省西北隅，折北至河北省滄縣東北入海，略呈南北流向，黃河這兩段東西相對，俗稱兩河。

④濟、河之間：古濟水自今河南省滎陽，向東北流至今山東省利津入海，河，這裡指上述古黃河下游那一段。後來黃河改道。

⑤漢武帝將南岳衡山之神廟移到霍山，改稱霍山爲南岳，隋唐以後才恢復衡山爲南岳。

⑥《蒼頡》七章，秦・李斯撰；《爰歷》六章，秦・趙高撰；《博學》七章，胡毋敬撰。它們是秦統一文字之後介紹小篆楷範的字書。漢代合此三書爲一，斷六十字爲一章，統稱爲《蒼頡篇》，凡五十五章，三千三百字。

⑦《急就篇》，西漢元帝時史游作，原爲蒙童識字課本，約二千餘字，也可作字書用。

推薦閱讀書目

- 《爾雅注疏》 晉・郭璞注，宋・邢昺疏，《十三經注疏》通行本。
- 《爾雅義疏》 清・郝懿行撰，《清經解》本。
- 《爾雅郝注刊誤》 清・王念孫撰，《殷禮在斯堂叢書》本。
- 《小學考》 清謝啓昆撰。藝文印書館，一九七四年本。
- 《爾雅今注》 徐朝華撰，南開大學出版社，一九八七年本。
- 《爾雅導讀》 顧廷龍、王世偉撰，巴蜀書社，一九九〇年本。
- 《重印〈雅學考〉跋》 周祖謨撰，《問學集》下冊，中華書局，一九八一年本。

第10章
《孟子》

《孟子》一書是戰國時期孟軻與其弟子和同時代人的談話記錄。全書七篇：〈梁惠王〉、〈公孫丑〉、〈滕文公〉、〈離婁〉、〈萬章〉、〈告子〉、〈盡心〉。後漢趙岐作〈孟子章句〉，把每篇分爲上、下，則爲七篇十四卷，相傳至今。

在戰國時期，孟子是孔子之後儒家各學派之中最大學派的代表，自稱是孔子的嫡派，在當時有重大的社會影響，《孟子》一書被列爲諸子之冠。秦始皇鎮壓儒家，其主要鋒芒是對向孟子學派。在漢代，《孟子》和《論語》都被當作重要的「傳記」，一度立《孟子》博士，有章句流傳。《孟子》特別受到推崇，是唐代韓愈提倡復興儒學，表彰孟子是孔子「道統」的唯一繼承者。宋代儒家學者或發揮孟子的政治學說，或發揮孟子的哲學學說，以繼承孔孟「道統」

爲己任。他們都推崇《孟子》一書，把它列爲十三經之一，確定爲儒家的正式經典。朱熹又把《孟子》和《論語》、《大學》《中庸》合編爲「四書」。「四書」是封建科舉考試出題的依據，明、清兩代是讀書人必須背誦的教科書。孟子被尊爲「亞聖」，《孟子》也就成了「聖經」。

孟子的思想學說在中國民族文化傳統中有重要的地位，產生過深遠的影響，我們研究中國的政治思想史、哲學史和教育思想史，以及研究散文史，都必須研讀《孟子》。

第一節　孟子其人其書

孟子是孔子嫡孫子思的再傳弟子。

過去有的學者說孟軻受業於子思，這個說法不對。孔子死後的百餘年，孟軻才出生；孔子七十歲時，其子伯魚死，伯魚活五十歲，三十多歲生子思，子思活六十二歲，死後三十餘年孟軻才出生；假定子思活八十二歲，也在死後十餘年孟軻才出生。又有的學者說，孟軻是受業於子思的兒子子正；這個說法仍然不對。子正活四十七歲，據上述時間推算，也做不了孟子的老師。這些學者所以提出這樣的說法，無非是要證明孟子是孔子的嫡派傳人。其實，孟子自己就談過這個問題，他在〈離婁下〉說：「予未得爲孔子之徒也，予私淑諸人也。」所謂「私淑」，就是未能親自受業，但敬仰其學術並尊之爲師。孔、孟的關係，我們只能從學術淵源上來看。

在戰國時期，儒家，是受孔門之學的人的統稱。孔子死後，其弟子多人傳授孔門之學，當時沒有公開出版物，只能依靠竹簡和口耳相傳，傳授者各有自己的解說和發揮，所以儒家化分爲八派，其中子思學派是孔子嫡傳的一派，影響也較大。《中庸》據說是子思的著作，雖難確證，但至少可以代表子思學派思想學說的精華。《孟子》一書與《中庸》思想一致，連部分文字都是相同的，可以證明孟子思想和子思學派同出一脈，世稱思孟學派。子思的影響遠遠比不上孟子，孟子成爲思孟學派的最大代表，後來又簡稱孟子學派。所以，可以說孟子是子思的再傳弟子，是儒家正統學派的繼承人。

❖孟子生平

孟子名軻，表字無傳①，約生卒於西元前三七二年～前二八九年，或西元前三八五年～前三〇四年。對孟子的生卒年，古人和近人都作過不少考證，迄難確定，以從前說者較多。這個時代正在戰國中期。

孟軻是魯貴族孟孫氏之後。孟孫、叔孫、季孫三氏同爲魯桓公之庶子，稱三桓。孟孫嫡系稱孟孫氏，其餘支子改稱孟氏。春秋以後，三桓子孫衰微，孟軻的祖上由魯遷鄒（今山東省鄒縣），孟子即爲鄒人。他出世時，家境衰敗，他是沒落貴族的後裔。

孟軻的生平，與他的太老師孔子有許多相似之處，都經歷讀書、遊歷、教書的三部曲。不同的是，比起他的太老師來，孟軻要幸運得多。青少年時代是讀書求學的時代，他受到良好的家庭教育。《韓詩外傳》、《列女傳》載有「孟母擇鄰三遷」、「斷機教子」的傳說故事，說明良母對他教育的孤詣苦心。他自幼受到良好的家庭教育，又從子思的再傳弟子受業，師承儒家正統學派。他先學習、後教書，中年以後遊歷各國時，已經很有名氣，就其身份而言，他屬於戰國時期的「士」這個階層中的上層分子，即知識分子中有威望，有影響的人物。

孟子以儒學大師的身份，在中年之後，遊歷各國近二十年。他遊歷時，後車數十乘，隨從數百人，懷著推行王道政治的抱負，遊說諸侯。在這二十年中，一度在楚爲卿，住了五、六年，齊宣王要給他一年萬鍾粟（一鍾六石四斗）的待遇，讓他辦學，但始終不採用他的政治主張，只想拿他當招牌。孟子說：「禮貌未衰，言弗行也」，便走了。孟子這樣奔波了二十年，到處都是由國王以禮相待，却無人實行他的政治理論，連小國宋國都贈黃金七十鎰（一鎰二十四兩）、小國薛國也贈黃金五十鎰，把他客客氣氣送走。看起來，孟子的身價高、架子大、派頭十足，比悽悽惶惶的太老師孔子闊氣多了。

從六十五歲起，孟子不再奔波。那時只有鐵皮軲轆馬車，老年的孟子已經禁不住長途顛簸，於是回到老家，以孔子爲榜樣，從事教學與著述，活到八十四歲。

孟子生前確實比孔子幸運。他在社會上享有盛名，是公認的儒學大師，孔門正宗學派的領袖人物，遊歷列國以國賓相待，可謂聲名顯赫。但在政治上，他也是不得意的。滿懷濟世理想不能實行，不得不把理想寄託於辦教育。終其一生，他是個思想家、教育家。

❖《孟子》書的作者和篇數

關於《孟子》一書的作者問題，歷來有三種意見。

一種意見說《孟子》一書是孟軻自己作的，如東漢趙岐、南宋朱熹，明郝敬等都就《孟子》全書文章風格的一致性而作論證；清閻若璩、魏源又進一步論證，認爲《孟子》書中沒有關於孟子容貌行動的敍述，與《論語》爲弟子所記不同。

又一種意見相反，說《孟子》一書是孟軻死後由門人記述的，如唐韓愈、張籍、宋蘇轍和清崔述等都如此認爲。崔述說：《孟子》七篇中稱門人爲「子」，若自著豈稱門人爲「子」？

再一種意見是根據《史記．孟子荀卿列傳》的記述：「……退而與萬章之徒序詩書，述仲尼之意，作《孟子》七篇」，認爲是孟子和他的弟子一起把他的言論編爲七篇，其中有口述、有手定，書成後孟子又作了訂定潤色；孟子死後，他的門人又作敍定。

多數學者認爲《史記》的論述是可信的。但《孟子》原來究竟幾篇，《史記》與《漢書》的記述又不同。《史記》記爲七篇，《漢書・藝文志》則記爲十一篇，那麼除現在通行的七篇之外，還有〈性善〉、〈文說〉、〈孝經〉、〈爲政〉四篇。對這個問題，東漢趙岐作《孟子題辭》時，肯定外書四篇是僞作，他不予注解。這四篇因無人傳授而亡佚。趙岐又將七篇各分爲上、下，現在通行的《孟子》則爲七篇十四卷。

❖孟子的歷史命運

孟子在他生活的時代，是在社會上享有盛名而在政治上並不得意的學者。由於他全面地繼承並發展了孔子的學說，兩千餘年來，他身後的命運幾次升降浮沈。

他逝世以後，繼承他學說的弟子和再傳弟子們形成了戰國後期最大的孟子學派，孟子學說是當時的顯學。秦始皇焚書坑儒，燒的是孟子學派用的書，殺的是孟派的儒生。這是一次極爲沈重的打擊。

漢開國之後，儒家經典和傳記復出，《孟子》和《論語》都被作爲重要的傳記，但是漢代統治階級更推崇孔子和《論語》，並沒有特別推崇孟子和他的書。漢文帝時雖然一度立《孟子》博士，漢武帝罷黜百家，爲了建立封建專制的統一帝國，最需要的是經董仲舒改造的神學化的經學，並不重視孟子的學說，所以又把《孟子》博士取消。到魏晋以後，孟子的地位仍一直和荀子並列。

孟子重新走紅，是在唐代經韓愈推崇和表彰以後。韓愈提出儒家道統之說，認爲堯、舜、禹、湯、文、武、周公之道傳之孔子，孔子之道傳之孟子，孟子是儒家道統的唯一繼承者，「軻之死，不得其傳也」，韓愈自認爲是孟子道統的繼承人。韓愈是提倡復興儒學的大師，他的表彰有很大影響，統治階級開始認識到孟子學說對安定民生、穩定社會還是有用的，唐代末年開始把《孟子》一書視爲儒家經典對待。

到了宋代，孟子學說適合重整綱常倫理、和緩社會矛盾的政治需要，王安石爲進行變法革新而尊崇孟子，定《孟子》書爲考試科目。他主要是推崇孟子的以民爲本，重視民生的政治思想，作爲進行政治經濟改革的理論根據。從二程到朱熹的理學家們，則進一步發揮了孟子的心性天命之學，創立了理學思想體系，孟子經他們大加歌頌，地位日益提高，《孟子》一書編入十三經，朱熹又編爲「四書」之一，並爲之章句，從此《孟子》成爲儒家正式經典，孔孟之道並稱。元代學術是宋代經學的繼續，孔孟並尊，文宗朝封諡孟子爲「鄒國亞聖公」，地位僅次於「大成至聖文宣王」孔子，在孔廟配享。從此孟軻坐上了「亞聖」的交椅，成了儒家第二位祖師爺。

明初，孟軻一度又倒了霉。明太祖朱元璋不喜歡孟軻，他是利用農民暴動和農民戰爭而攫取皇冠的，需要對人民建立極端專制集權的封建統治，要求絕對的皇權和萬世一系，對孟子學說的「民重君輕」和「更易天命」十分反感。他下令把孟子的牌位搬出孔廟，又把《孟子》一書删去二百五十八處，有上述內容的文句統統删掉，連引用《尚書》的「時日曷喪，予與汝偕亡」一句也删掉，限令只准讀删削後的《孟子節本》。朱元璋是個不學無術的統治者，後來經過文臣們的勸說，從封建統治的長治久安著眼，終於承認孟子的學說還是利大於弊，把孟子的亡靈又搬回孔廟，《孟子》全書也恢復了原狀，這齣鬧劇也就收了場。

從這齣鬧劇可以說明，孟子學說中包含著某些爲專制暴君所反感的民主性的思想因素，因而明清兩代尊崇的理學，著重强調綱常倫理和心性之學，並不强調孟子學說中那些最精華的成份。以後明清兩代統治者對孟子也不斷加封，封爲「鄒國公」，嫡裔世襲，故鄉立廟，定「四書」爲八股考試的依據，人人非讀不可。和孔子一樣，孟子也成了神聖的偶像。這是孟子身後的全盛時代。

「五四」運動「打倒孔家店」，孟子的偶像也一同被打倒，「孔孟之道」是長期批判的對象。近四十年大陸的孟子研究，主要是批判他的人性論，「萬物皆備於我」、「勞心者治人」等理論，對孟子及其學說肯定的不多，主要是把他當作一個批判的靶子。這種情況一直延續到「文革」，他和孔子一同被罵得狗血噴頭。

新時期以來，對孟子進行科學的研究剛剛開始。在歷史上，把他奉爲「亞聖」，或對他潑滿污穢，都是孟子生前始料未及的，也都不是眞實的孟子。我們的任務是恢復歷史本來的面目，把孟子及其學說放在當時的歷史條件下來研究，對他的學說全面地、實事求是地進行檢驗。

第二節　孟子的政治思想

孟子政治思想的核心是民本思想，他的政治綱領是仁政綱領，他的政治理想是王道理想。民本——仁政——王道，三位一體，是對孔子德治學說的繼承、發展和完善。

❖民本思想

孟子的民本思想，是他的學說中至今仍閃耀光采的部分。對現實社會的觀察，對歷史經驗的總結和對孔子仁學傳統的繼承，是孟子民本思想的三個來源。

在孟子生活的戰國時代，現實生活發生重大的變革，使孟子注意到民心向背的作用，認識到人民的擁護或反對，是政治成功或失敗的決定性因素。

孟子也注意總結歷史經驗。他贊成湯武革命，說：「桀紂之失天下也，失其民也；失其民也，失其心也。得天下有道，得其民，斯得天下矣。得其民有道，得其心，斯得民矣。」（〈離婁上〉）他又說：「諸侯之寶三：土地、人民、政事」（〈盡心下〉）。孟子所說的「民」，以他提出的「制民之產」的綱領爲證，主要指以自耕農，農奴爲主體的廣大民衆，他反復申明這個眞理：「得乎丘（衆）而爲天子。」（〈盡心下〉）孟子的「民爲邦本」的思想，是他整個政治思想的核心。

根據「民爲邦本」的思想，孟子對君民關係確實提出新見解，發揮了「民貴君輕」的學說。他直截了當地說：「民爲貴，社稷次之，君爲輕。」（〈盡心下〉）齊宣王問孟子，湯放桀，武王伐紂……臣弑其君可乎？」孟子回答：「賊仁者，謂之賊；賊義者，謂之殘；殘賊之人，謂之一夫。聞誅一夫紂也，未聞弑君也。」（〈梁惠王下〉）他把殘害人民、不講仁義的暴君稱爲獨夫、民賊，認爲人人皆可得而誅之，根本不存在君臣倫理問題。

孟子把孔子「明君賢臣」思想也作了進一步的深入發揮。他說：「君視臣如手足，則臣視君如腹心；君視臣如牛馬，則臣視君如路人；君視臣如土芥，則臣視君如寇仇。」（〈離婁下〉）他認爲，在君臣關係這一對矛盾中，矛盾的主要方面是君，所以不能單方面地要求臣民忠敬於君，而應著重對君提出嚴格的要求，這個要求就是君必須以民爲邦本，尊重臣民的人格、希望和要求，爲人民謀取福利，絕對不容許暴虐殘民，殺戮無辜。大臣如何對待君王，也要依據這個標準。〈萬章下〉記述這樣一段對話：

齊宣王問卿，孟子曰：「王何卿之問也？」王曰：「卿不同乎？」曰：「不同，有貴戚之卿，有異姓之卿。」王曰：「請問貴戚之卿？」曰：「君有大過則諫，反復之而不聽，則易位。」王勃然變乎色。曰：「王勿異也，王問臣，臣不敢不以正對。」王色定，然後問異姓之卿。曰：「君有過則諫，反復之而不聽則去。」

當著齊宣王的面，孟子的對答夠大膽的。他是說君王如果殘賊人民，屢諫而不改，那麼貴戚大臣可以另立君王，異姓大臣可以掛冠而去，拒絕爲之服務。是否愛護人民，是孟子衡量是否能夠爲君的重要標準。天下非一人之天下，唯有德者居之，如果暴虐害民，就是獨夫民賊，人人可得而誅之。這是孟子對「民貴君輕」思想的最徹底的解釋。

孟子的民本思想確實具有民主思想的因素，當然，用近代民主主義來衡量還有一段距離。近代民主主義的核心是主權在民，而孟子和孔子一樣認為主權在天，是天命有德之君治民；近代民主主義是徹底反封建的，孟子不否定封建制度，也不否定君權，而是要求由明君來實行開明的封建統治。所以孟子遊歷列國二十餘年，到處遊說諸侯，沒有一個人採納他的主張。

❖仁政綱領

孟子的仁政學說，是孔子「德治」思想的發展。怎樣實行仁政呢？他提出保民、養民的具體綱領。

一、保民

孟子生活的戰國時代，列國兼併，戰爭連綿，苛稅徭役繁重，他目睹人民陷於水深火熱之中，呼籲施行仁政，救人民於水火，解人民於倒懸。他以為民請命的姿態，在言論中充滿現實批判的精神。他當面批評梁惠王說：「庖有肥肉、廄有肥馬，民有飢色，野有餓莩，率獸而食人也！」（〈梁惠王上〉）他又當面批評鄒穆公說：「凶年歲饑，君之民老弱轉乎溝壑，壯者散而之四方者，幾千人矣；而君之倉廩實，府庫充，有司莫以告，是上慢而殘下也。」（〈梁惠王下〉）他認爲當時實行的是吃人的政治，結果會天下大亂，連統治階級自身也不能夠存在，因而，提出「保民而王，莫之禦也」的名言。孟子說的「保民」就是保護人民的意思，其主張一方面是要求「省刑罰薄賦斂」，一方面是反對兼併戰爭。

關於「省刑罰薄賦斂」，孟子和孔子的主張是一致的，都要求儘量減輕人民負擔，而孟子說得更清楚，也更具體。他提出「取於民有制」（〈滕文公上〉），即剝削要有一定的限度，超過限度就要出亂子，爲了保證這個「度」，主張賦稅有定制。他設想的制度是「什一稅」，即只從人民的生產收入中徵取十分之一的稅；二是「助而不稅」，即役、稅徵其一，交了實物地租，不再負擔力役地租；三是免徵商業稅，建議「不徵商賈；不禁澤梁」，他說：「市，廛而不徵，法而不廛，則天下之商皆悅，而願藏於其市矣；關，譏而不徵，則天下之旅皆悅，而願出其路矣。」（〈公孫丑上〉）他認爲免徵商業稅有利於促進物資流通，加速經濟發展。

對於役政，他批評當時徵用力役過於繁重：「民之憔悴於役政，未有甚於其時也。」（〈公孫丑上〉）他主張「有布縷之徵，粟米之徵，力役之徵，君子用其一，緩其二；用其二而民有殍；用其三而父子離。」（〈盡心下〉）即使使用力役，既不可過重，又必須不違農時，「彼奪其民時，使不得耕耨以養其父母，父母凍餓，兄弟妻子離散。」（〈梁惠王上〉）他還主張減輕刑罰，而且實行「罪不孥」，反對株連罪人的妻子兒女。所有這些，都是要求關心人民的生產和疾苦，減輕壓迫和限制過分的剝削。

關於春秋以來諸侯之間的兼併戰爭，孟子提出一句有名的論斷：「春秋無義戰」，指出這些戰爭的性質是非正義的，持堅決反對的態度。在戰國時期，列國兼併戰爭更加頻繁，更加激烈，他認爲這類戰爭的目的，只是戰爭的發動者在爭奪土地和都市，驅使人民去流血賣命。他激憤地說：「爭地以戰，殺人盈野；爭城以戰，殺人盈城。此所謂率土地而食人肉，罪不容於死。故善戰者，服上刑。」他認爲對嗜好戰爭的人要處以最嚴厲的死刑。他甚至痛罵梁惠王：「不仁哉！梁惠王也！……以土地之故，靡爛其民而戰之。」（〈盡心下〉）

現代有的學者說孟子不分辨正義戰爭與不正義戰爭而籠統地反對戰爭，這個批評不正確。孟子不是偃兵主義者。固然他說過：「仁者無敵於天下」，「夫國君好仁，天下無敵」，「得道多助，失道者寡助。寡助之至，親戚畔之，多助之至，天下順之。」（〈公孫丑下〉）他希望有和平的環境使人民安居樂業，通過仁政使天下歸心，卻並不排斥用兵。不過，他主張用兵要有原則：以仁伐不仁，「誅其君而吊其民」（〈梁惠王下〉），即後世流傳的成語「吊民伐罪」，合天意而順民心，誅暴君而拯救人民。他推崇文王、武王發動戰爭是

「一怒而安天下之民」，他向齊宣王說：「今燕虐其民，王往而征之，民以為將拯己於水火之中也，簞食壺漿以迎王師。」（〈梁惠王下〉）可見孟子並不反對仁義之師，而且認為這樣的軍隊，人民如大旱之望雲霓，必將得到人民的擁護，可以以小敵大，以弱敵強。這些至理名言，在現代革命戰爭中還為人們所引用。

二、養民

孟子認為，施行仁政的中心是解決人民的生計問題，「養民」，就是滿足人民的生活需要，並儘量提高人民的生活水平；只有人民豐衣足食，才能實現國家的安定和進步。

在孟子所處的農業經濟為主的時代，解決民生問題，首要的是發展農業生產。孟子多次提出「不違農時」，把它作為施政的最起碼的條件，用以保證農民能夠正常地從事生產。他認為，農民只要能夠從事農林漁牧生產，就可以獲得所需要的豐富的生活資源。他說：

> 不違農時，穀不可勝食也，數罟不入洿池，魚鱉不可勝食也；斧斤以時入山林，林木不可勝用也；穀與魚鱉不可勝食，林木不可勝用，是使民養生喪死無憾也！養生喪死無憾，王道之始也！（〈梁惠王上〉）

件，對於老弱孤苦者，孟子則主張養老。他在〈梁惠王下〉、〈離婁上〉、〈盡心上〉都推崇文王施行仁政先從養老著手：

老而無妻曰鰥，老而無夫曰寡，老而無子曰獨，幼而無父曰孤，此四者天下之窮民而無告者，文王發政施仁，必先斯四者。（〈梁惠王下〉）

所謂西伯善養老者，制其田里，教之樹畜，導其妻女，使養其老，五十非帛不暖，七十非肉不飽，不暖不飽，謂之凍餒，文王之民無凍餒之老者，此之謂也！（〈盡心上〉）

孟子認爲「諸侯有行文王之政者，七年之內必爲政於天下。」（〈離婁上〉）爲了達到「養民」的目的，孟子認爲必須保證農民獲得足夠的生產資料——土地，提出「制民之產」的具體主張。他所說的「制民之產」，就是給人民以「恆產」（固定產業），使人民有一定的耕地和住宅。他向梁惠王說：「民有恆產，則有恆心……無恆產則無恆心，放辟邪侈，無不爲已。」所以，是否保證人民獲得耕地和住宅，直接關係到社會的穩定與否。可是，由於當時戰爭頻繁、土地掠奪，大批農民喪失土地，流離失所，這是新興地主階級建立統治必須解決的問題，因此他首先重視當時人民沒有或獲得的耕地太少，不能滿足家庭生活需要，從而陷於饑餓和死亡的苦難之中：

是故明君制民之產，必使仰足以事父母，俯足以畜妻子，樂歲終身飽，凶年免於死亡，然後趨而之善。故民之從之也輕。今也制民之產，仰不足以事父母，俯不足以畜妻子，樂歲終身苦，凶年不免於死亡，此惟救死而恐不贍，奚暇治禮義哉？（〈梁惠王上〉）

究竟應該如何「制民之產」呢？孟子提出他設計的方案：

五畝之宅，樹之以桑，五十者可以衣帛矣。雞豚狗彘之畜，無失其時，七十者可以食肉矣。百畝之田，勿奪其時，八口之家可以無飢矣。（〈梁惠王上〉）

五畝桑宅百畝田，加上蠶絲和家禽家畜，這幅自給自足的小農經濟的理想圖，反映了小生產者的願望和要求。孟子設計每戶百畝田，對這百畝田的分配，他又提出「井田制」的方

方里而井，井九百畝，其中為公田，八家皆私百畝，同養公田，公事畢，然後敢治私事。（〈滕文公上〉）

案：

所謂「井田制」原本是西周之事。由於文獻散佚，現存文獻並無記載。西周時的「井田制」究竟是怎麼回事，誰也說不清。前幾年有人說井田制是一種奴隸耕作制度，據此就批判孟子是要復辟西周奴隸制，孟子眞是冤透了。孟子不過是托古改制，企圖以這種方式解決農民負擔的稅役問題，「助而不役」，能夠適當減輕農民負擔。其實他這種改制方案也只是一種幻想，當政者並不肯採納實行。

孟子的「養民」綱領，在封建社會是地主階級不願也不能實行的，但他把民生問題作為施政的中心，而解決民生問題首先在於保證人民占有生產資料以及能夠正常地進行生產活動，這些思想是可取的。

三、教民

孔子的學生冉有曾經問孔子：在人民生活富足之後，又該做些什麼呢？孔子曰：「教之。」（《論語・子路》）孟子和孔子的思想是一致的，他把「富而後教」的思想闡述得更清楚。

孟子認爲，人的本性都是善良的，只是因爲生活貧困，才「放僻邪侈，無不爲矣，及陷於罪。」對於這樣因生活環境所迫而作惡的人，「從而刑之，是罔（無）民也，焉有仁人在位，罔民而可爲也？」（〈梁惠王上〉）把因貧困而犯罪的人都處刑，天下就沒有人民了；沒有人民，哪裡還談得到施行仁政呢？必須首先改善人民的生活條件，然後施行教化，「謹庠序之教，申之以孝悌之義」，使人民「明禮義」（〈梁惠王上〉）。所以孟子主張，對於人民因貧困犯罪，不應殺掉或嚴厲懲罰，而要重在教化，即注意預防犯罪；對人民養教結合，才是仁政。

孟子所說的「教民」，是讓人民人人懂得封建倫理道德（禮義）。人民的生活條件改善，又明白禮義，犯罪的人自然就很少了，社會就可以安定，國家就可以長治久安。因此，孟子認爲教民比養民還重要。他說：

仁言不如仁聲之入人深也，善政不如善教之得民也。善政，民畏之；善教，民愛之；善政得民財，善教得民心。（〈盡心上〉）

孟子主張的仁政，要求在改善民生的基礎上興辦教育，推行教化，實現他的政治理想。

❖王道理想

孔子的最高政治綱領是天下爲公、世界大同；但是孔子只描繪了一個動人的圖畫，並沒有找到一條達到大同之路。孟子繼而提出他設計的理想樂土，並且提出以王道作爲實現之路。

孟子面臨的是諸侯割據，列國紛爭的政治局面，諸侯都想統一天下，他們用戰爭來互相吞併。孟子並不反對統一，但他反對用戰爭的兼併方式來實現統一，而主張以王道來實現統一。

孟子認爲，世上有兩種政治，一種是王道政治，一種是霸道政治。所謂「王道」，就是崇尚和推行仁政，以德服人，使天下人民都心悅誠服地歸服；所謂「霸道」，就是依仗自己的實力，去征伐別的國家，來强迫別人服從；以力服人，人民並不心服。孟子說，堯、舜、禹、湯、文、武、周公都是實行王道的，所以統一了天下；齊桓、晉文等春秋五霸及其追隨者都是實行霸道的，他們只能危害人民，並不能如他們所想像的統一天下。齊宣王想效法齊桓、晉文稱霸天下，問於孟子。孟子說：像齊這樣的大國一共有九個，以一服八，等於以小敵大，是不可能取勝的，然而，「今王發政施仁，使天下仕者皆欲立於王之朝，耕者皆欲耕於王之野，商賈皆欲藏於王之市，行旅皆欲出於王之途，天下之欲疾其君者皆欲赴愬於王。其若是，孰能禦之？」（〈梁惠王上〉）

孟子認為統一之本在於內行仁政，在本國以民為本，能夠實行他那一套保民、養民、教民的綱領，建設成五畝桑宅、百畝耕田、豐衣足食、和樂安定、明禮義、有教化的王道樂土。在這裡，老吾老以及人之老，幼吾幼以及人之幼，壯年男女各有所用，老人不必勞動而能衣帛食肉，這樣就能使天下臣民嚮往而歸服；能夠做到這樣，「不王者，未之有也。」（〈梁惠王上〉）在〈公孫丑上〉他也發表了同樣內容的講話，同時又說：「王不待大，湯以七十里，文王以百里。」統一天下的方法不在於國土之大小、甲兵之多寡，而要依靠推行王道，湯最初不過是七十里的小國，文王最初不過是百里的小國，但他們內行仁政，天下之民仰而歸之，去無道而就有道，終於以仁義而王天下。所以孟子又說：「不行王政云爾，苟行王政，四海之內皆舉首而望之，欲以為君，齊楚雖大，何畏焉！」（〈滕文公下〉）像滕這樣的小國，只要在國內推行仁政，也可以王天下，何懼虎視眈眈的大國呢？

孟子曾經反覆說明：王道之始，在於本國國內。以仁義治國，把人民的飢渴看成如自己的飢渴，爲人民謀利益，會得到人民的擁護，這就是王道政治；以嚴刑峻法統治人民，剝奪人民的衣食，行不義，殺無辜，以及依靠武力侵伐別國，就是霸道政治，人民深惡痛絕，結果必然衆叛親離。從這裡，他又引申出「得道者多助，失道者寡助」（〈公孫丑下〉）的千古名言。

孟子設計的王道樂土，不過是以小農經濟爲基礎的烏托邦，在這個烏托邦之上建構的王道理想，也是不切實際的。他和孔子一樣，也找不到一條到達大同之路。不過，他提出了「王」、「霸」兩條政治路線，在中國長期封建社會曾經不斷進行爭論。一般說來，從先秦起，法家就是提倡以武力征服天下，以嚴刑峻法來統治人民而鞏固政權的，《韓非子》說：「君不仁，臣不忠，可以霸王矣！」認爲嚴家無悍虜，慈母有敗子，提倡仁義不足以止亂，只有法勢才能治國。歷代的統治者沒有人肯眞正地接受孟子的王道理論，大都是實行霸道，少數比較開明的統治者，也只是「王」、「霸」並用。

❖賢能政治

孟子把政治理想的實現寄託給當政者，他認爲，君應該是愛民行仁的明君，臣應該是賢能的俊傑，由這樣的君臣掌握政權，才可能施行仁政，執行王道路線。他說：

得乎丘（眾）民而為天子，得乎天子而為諸侯，得乎諸侯而為大夫。（〈盡心下〉）

人民所擁護的人才能得到天命而做天子，如果他失去民心就可以撤換。這就是說，上天是根據民意來選命天子的，天意與民意是一致的，做君主的必須是仁德的明君。這是對君主的要求。

諸侯是由天子所選定的，大夫是由諸侯所選定的。對於君主來說，諸侯和大夫都是他的臣，對於諸侯來說，他是封國的國君，他的大夫又是他的臣。臣是君的輔翼，是各項政務的具體執行者，臣的好壞直接決定政治的成敗。因此，孟子對孔子的「選賢與能」的思想十分重視，把這個問題作爲推行仁政的組織保證問題，作了進一步的發揮。他說：

賢者在位，能者在職。……尊賢使能，俊傑在位，則天下之士皆悅而立於其朝矣。（〈公孫丑上〉）

孟子理想有一批賢能之士擔任行政工作，按照一定的「規矩」行使政權：「規矩，方員之至也；聖人，人倫之至也。欲爲君，盡君道，欲爲臣，盡臣道。二者皆法堯舜而已矣。不以舜之所以事堯事君，不敬其君者也；不以堯之治民治民，賊其民者也。」（〈離婁上〉）孟子所說的「規矩」，就是君臣各守其位，各盡其職，以堯舜禹湯文武周公爲榜樣來治民。孟子是主張「人治」的，他所說的賢才，有嚴格的政治思想標準，即奉行孔子之道。

在列國混戰的戰國時代，各國諸侯都以善於征伐、縱橫爲賢，重用以此來博取功名利祿之士。同時，百家爭鳴，各個學派也都提出自己的學說，登上社會論壇，其代表人物也到處遊說諸侯。孟子把他們稱爲「異端」，進行激烈的批評：

聖王不作，諸侯放恣，處士橫議，楊朱墨翟之言盈天下；天下之言，不歸楊，則歸墨。楊氏為我，是無君也；墨氏兼愛，是無父也。無父無君，是禽獸也。公明儀曰：庖有肥肉，廄有肥馬，民有飢色，野有餓莩，此率獸而食人也！楊墨之道不息，

孔子之道不著，是邪說誣民，充塞仁義也！仁義充塞，則率獸食人，人將相食，吾為此懼！（〈滕文公下〉）

他認爲持這些「異端學說」的人如同禽獸，「邪說」泛濫，造成了嚴重的社會惡果，對這樣的人物他主張堅決排斥。同時，對那些巧言令色，讒諂面諛之人，他也主張堅決棄絕。他說：「與讒諂面諛之人居，國欲治，可乎？」（〈告子下〉）他認爲，欲治國，重要的問題是愼重選拔賢才。

如何選拔賢才呢？他回答齊宣王提出的這個問題說：

王曰：「吾何以識其不才而舍之？」曰：「國君進賢，如不得已，將使卑踰尊，疏踰戚，可不慎與？左右皆曰賢，未可也；諸大夫皆曰賢，未可也；國人皆曰賢，然後察之；見賢焉，然後用之。左右皆曰不可，勿聽；諸大夫皆曰不可，勿聽；國人皆曰不可，然後察之，見不可焉，然後去之。左右皆曰可殺，勿聽；諸大夫皆曰可殺，勿聽，國人皆曰可殺，然後察之；見可殺焉，然後殺之。故曰，國人殺之也。如此，然後可以為民父母。（〈梁惠王下〉）

這就是說，用人，要以人民利益爲重，對於眞正的賢才，哪怕出身卑微的人，也可以提拔到出身尊貴者的位置上，與自己關係疏遠的人，也可以提拔到關係親密的人之上；但是，必須愼重地選拔，選拔的方法是走羣衆路線，廣泛地聽取廣大羣衆的意見，然後再進行實際的考察，把眞正的賢才提拔到領導崗位上來。

孟子關於任用人才的意見，至今還有其可取的價值。

第三節　孟子的哲學思想

孟子的哲學思想，就其直接論述的內容而言，主要屬於道德哲學和歷史哲學。性善論是他的道德哲學的核心，由此建構起他的心性之學的思想體系；與此相聯繫，以天命論爲基礎，建構起他的歷史觀的思想體系。

❖性善論

人性的問題，在春秋晚期已經提出，也是戰國諸子所熱烈討論的課題。孔子說過：「性相近，習相遠。」（《論語．陽貨》）這是强調後天的教育與環境對人性的重大影響作用，這個命題是正確的；但孔子又說：「唯上知與下愚不移」（同上），則人的「知」與「愚」又是天生而不可改變的了。孔子對人性問題，沒有進行有條理的邏輯論述。

孟子第一個提出系統的人性善理論。人之初，性本善，這個哲學命題，是孟子仁政學說的理論基礎。

人性是一個複雜的範疇，指人的本質特性和人的性格特點，概括來說，包含人的自然性和人的理性。告子說的「食、色，性也」，指的是人的生理的要求，這是一切動物的共性，作爲高級動物的人類，也具有這種生存和生殖的自然本能。人之不同於其他動物，在於有理性。孔子所說的「唯上知與下愚不移」，就是指人的理性而言。所謂理性，包含理智、智慧、道德等性質。人運用智力趨利避害、創造物質資料和環境等心理因素，屬於理智的性質；人認識和改造世界等高級思維活動，屬於智慧的性質，孔子所說的「聖」，即指超人的智慧；而人對人，對事物的態度和行爲方式上所表現出來的思想、感情等心理特點，如仁愛、禮、義、廉、恥、剛强、懦弱等等，則屬於道德的性質。孔子所說「唯上智與下愚不移」，是指人的理性而言。人的自然性，無所謂善惡；人的理性，在不同的時代，不同階級人們的實踐中，由於不同善惡觀念而有不同的評價標準，便有不同的「善」、「惡」之分。

孟子主張性善，與他的辯論對手告子進行過長篇辯論。告子主張人性本來無善無不善，以及後來的荀子主張性本惡，都主要是就人的自然性而言。孟子提出他的性善學說，首先說明他是就人的理性，尤其是道德性而言：

耳目之官不思，而蔽於物，物交物，則引之而已矣。心之官則思，思則得之，不思則不得也。此天之所與我者。（〈告子上〉）

這段話的意思是說：耳和目這類器官不能思考，也不過是一種物，與其他物接觸就會被他物所引，而心這個器官能夠思考，能思考和不能思考，其結果是不同的。人類能夠運用心之官思考，即人有理性，這是人與禽獸的不同。因此，理性便是人之區別與禽獸的特性。他說的人性，便是指人的理性。所以他說：

口之於味也，目之於色也，耳之於聲也，鼻之於臭也，四肢之於安逸也，性也？有命焉，君子不謂性也。

這是說，人人雖有好聲色、芳香、美味、安樂之天性，那不過是自然的本能，並不是他所說過的「性」。他認爲人之所以異於禽獸，就在於人所天賦共有的仁義禮智等道德理性，保存這些道德理性，就是人，丟掉它們，就是禽獸了。

孟子主張性本善，就是說人生下來就有仁義禮智四德的本性。他以爲人皆有不忍人之心，「今人乍見孺子將入於井，皆有怵惕惻隱之心」（〈公孫丑上〉），「孩提之童無不知其親者，及其長也，無不知敬其兄也。親親，仁也，敬長，義也。」（〈盡心上〉）以這些例證推論，論說仁義禮智四德是人的天賦本性：

> 惻隱之心，人皆有之；羞惡之心，人皆有之；恭敬之心，人皆有之；是非之心，人皆有之。惻隱之心，仁也；羞惡之心，義也；恭敬之心，禮也；是非之心，智也。仁義禮智，非由外鑠我也，我固有之也，弗思耳矣。（〈告子上〉）

他所說的惻隱之心，即不忍人之心，也就是仁心，指對人的同情心；羞惡之心，即知道羞恥的心理；恭敬之心又稱辭讓之心，即尊長敬上，禮貌謙讓；是非之心，即是非善惡觀念。孟子說人性善，並不是說人性中先天具有的這「四心」是完善的，而只是說具有這些善的素質，屬於原始的、初級的，萌芽的狀態，他把它們叫做「四端」，即四種道德素質：

「惻隱之心，仁之端也；善惡之心，義之端也；辭讓之心，禮之端也；是非之心，智之端也。」（〈公孫丑上〉）

孟子所說的性本善，只是說人人具有善的素質，並不是人人達到「至善」，猶如金礦之有金，卻並非純金，還需要開發、冶煉，才能成為純金；人有「四端」，也必須予以擴大、充實、完善，才能達到「至善」。

有學生問孟子：既然人人生來具有善的素質，為什麼會出現惡人為惡呢？孟子解釋說有兩個原因：

一是被物欲所蒙蔽，耳迷美聲，目眩美色，神搖心醉，結果使善良的本性沈淪。孟子以「牛山之木嘗美」為例，「斧斤伐之，可以為美乎，是其日夜之所息，雨露之所潤，非無萌蘖之生焉，牛羊又從而牧之」，像這些連續的戕害，美木又怎麼能夠生長呢？（〈告子上〉）

二是被環境所習染，孟子也舉例說：「富歲，子弟多賴；凶歲，子弟多暴；非天之降才爾殊也，其所以陷溺其心者然也。」（同上）豐收年成，衣食充足，子弟大多懶惰；災荒年成衣食不足，子弟大多為非作歹；這不是他們天賦的材資不同，而是環境使他們善的本性沈溺。

孟子認為，本性有善端，但蔽於物欲，染於環境，都會沈迷而墮落，所以人應該抗拒物欲的誘惑和環境的習染而努力向善，切不可自暴自棄。

孟子又認為，人性本善，為惡者只是本性被蒙蔽或自暴自棄所致，以商紂之不仁，亦知禹湯之為聖，人的常情，為善心安，為惡則心不安，可見人的良知並未完全泯滅，還是可以改惡從善的。因此他主張執法從寬，懲罰與教育相結合。

孟子的人性論，反映了春秋以來，尤其在戰國時期對人的價值的肯定，承認人都具有良知和善端。堯舜也是人，只是他們的修為好。孟子曾經反覆地說：「聖人與我同類」（〈告子上〉），「堯舜與人同耳」（〈離婁下〉），「舜，何人也？予，何人也？有為者，亦若是」（〈滕文公上〉），「人皆可為堯舜」（〈告子下〉）。人類在精神道德方面的天賦是平等的，這不但比奴隸主貴族把勞動人民看作牲畜和工具有根本上的不同，就是比孔子的「唯上知與下愚不移」，也前進了一大步。孟子的這種思想，對於提高人的地位，以及人們肯定自我價值而勵志向上，都有積極價值。

孟子的性善論又有嚴重的缺點。所謂人性，只有具體的人性，沒有抽象的人性。人之作為生物所具有的自然本能，即人的自然屬性，是基本相同的，也是與生俱來的，這並非孟子的論題；孟子論述的是人的道德屬性。道德是社會的產物，在階級社會，不同時代的不同階級有不同的善惡標準。孟子所說的仁義禮智四德，其內容都是封建道德原則，至於說它們是人性中所固有的，更明顯地帶有先驗論的性質了。

❖盡心知性

孟子認為，「聖人」是把人的天性中固有的「四端」發展到最完善的境界，而人人都具有「四端」，只要努力擴大、充實、發揚光大到完善的境界，也就都可以成為「聖人」。那麼如何擴大、充實、發揚光大「四端」而達到完美的境界呢?孟子發揮了由盡心知性到培養浩然之氣的一整套由道德修養而達到理想的獨立人格的學說。

孟子提倡「盡心知性」。所謂盡心，就是把人的本性中的惻隱之心、羞惡之心、辭讓之心、是非之心盡量擴充發揚;所謂知性，就是對本性中的仁義禮智等倫理道德有正確深刻的認識並且身體力行。盡心是前提，知性是結果，二者密切結合。

孟子所標榜的仁義禮智的具體內容是什麼呢?他說:「仁之實，事親是也;義之實，從兄是也;智之實，知斯二者弗去是也;禮之實，節文斯二者是也。」(〈離婁上〉)這就是說，仁的實際內容是事奉和孝順父母，義的實際內容是尊重和服從兄長，禮的實際內容是對事親從兄的具體要求、禮儀和規則，智的實際內容是對仁義的正確和全面的認識。四者以仁義為主，而仁義又以仁為根本。但是，這只是初步的要求，還需要擴充和發揚光大。仁，還要老吾老以及人之老，幼吾幼以及人之幼，仁民愛物，以不忍人之心，行不忍人之政（即仁政）；義，指尊重和履行各種道德，承擔應盡的社會義務；禮和智，也以這擴充了的仁義爲本。

孟子提出「盡心知性」，要求在「寡欲」、「內省」、「養氣」三個方面下功夫。

㈠**寡欲，即對物欲的淡泊**。他說：「養心莫善於寡欲。其爲人也寡欲，雖有不存焉者寡矣；其爲人也多欲，雖有存焉者寡矣。」（〈盡心上〉）孟子所說的「欲」，指的是外物引誘而產生的各種欲求。耳迷於聲，目迷於色，貪於逸樂，追名逐利，就會使人迷失善良的本性而作出有悖於仁義禮智的事。寡欲，就要在個人克制上下功夫，不爲聲色逸樂所迷，不爲榮辱利害所動。欲與理是相對的，理和欲的矛盾，表現爲義與利、公與私、善與惡的矛盾，因而孟子進一步提出明「義利之辨」的命題。在孟子看來，人們追求物質利益、功利，是引起社會混戰的總根源，往大處說，必然引起爭奪和戰爭；往小處說，人欲橫流，必然胡作非爲。寡欲，就是時時處處以禮義來自我克制，抗拒物欲、功利的誘惑，達到心境清明，本固根深。

㈡**內省，即「反求諸己」**。孟子說：「學問之道無他，求其放心而已矣。」（〈告子上〉）人心本善，但常爲物欲所蔽，本心便昏而不明，即所謂「放心」。「放」就是丟失的意思，「求」是尋求的意思。私欲妄念常常襲擊本心，一念之差，便會邪念滋生而走入邪途。所以人必須自覺地以仁義禮智等道德準則隨時嚴格要求自己，一念也不能放鬆。如何內省？孟子提出了「存夜氣」。所謂「夜氣」，即半夜醒後之心情，這時人不與外物接觸，萬籟俱寂，心境如澄空無際，了無纖塵，應該在這個時候反觀內省，體察「其旦晝之所爲」，通過理性的反思，就能夠保持和發揚其仁義之本心。

㈢**養氣，亦即養心**。孟子提出的道德修養分兩個階段：寡欲和內省屬於初級階段，養氣的目標是「養我浩然之氣」，則是修養的高級階段。學生公孫丑問：「敢問何謂浩然之氣？」孟子回答說：「難言也。其爲氣也，至大至剛，以直養而無害，則塞於天地之間。其爲氣也，配義與道；無是，餒也。是集義所生者，非義襲而取之也。行有不慊於心，則餒也。」（〈公孫丑上〉）這段話有三個意思，一是說「浩然之氣」是靠人們主觀努力培養出來的一種氣，它宏大而剛强，對它長期持續培養而不加損害，它便可以充滿天地之間；二是「浩然之氣」有其道德內容，它是道與義結合的產物，沒有道與義的內涵，這種氣也就沒有力量了；三是「浩然之氣」是「集義所生者」，即經過長期不斷的道義實踐才能培養成功，而「非義襲而取之」，即不是偶然作一件合道義的事所能達到；因而如果作了有愧於心的事，這種氣也就疲軟了。孟子的「浩然之氣」的思想，要求人們長期地主觀努力修養，自覺地把道德理性和實踐相結合，培養高尚的道德境界，即具有一種自豪的、正大光明、無所愧作、無所畏懼的精神狀態。孟子認爲，這種「浩然之氣」最宏大、最堅强，可以充塞於宇宙，化爲巨大的精神力量。孟子在這裡，繼續强調道德的先驗性之後，又過份誇大了精神和意志的主觀能動性的作用。

孟子心性之學的根本目的，是建立理想人格。

孟子提出的理想人格，以感性心理爲基礎，以道德理性爲依歸。他把人的親親敬長和惻隱、羞惡、辭讓、是非之心，擴大爲實行仁政，以及以仁義爲本處理好君臣、父子、兄弟、夫妻、朋友等人倫關係。孟子認爲，這種道德理性不是外加的，而是自然而然地發自內心，因而由此而產生的一切道德行爲，就完全建立在自覺的基礎上，所以這種精神力量最爲堅强有力。

孟子要求以道德標準來律身修己，身體力行。爲了承擔造福人民的社會義務，應該立志、勵志，經受艱難困苦的磨鍊：「天將降大任於是人也，必先苦其心志，勞其筋骨，餓其體膚，空乏其身，行拂亂其所爲，所以動心忍性，曾益其所不能。」（〈告子下〉）當面臨各種矛盾時，仍要堅守信念：「居天下之廣居（仁），立天下之正位（禮），行天下之大道（義）；得志，與民由之；不得志，獨行其道。富貴不能淫，貧賤不能移，威武不能屈，此之謂大丈夫。」孟子所說的「大丈夫」，就是我們現在說的偉大的人、高尚的人。孟子又提出「捨生取義」的命題：「魚我所欲也，熊掌亦我所欲也，二者不可得兼，捨魚而取熊掌者也。生亦我所欲也，義亦我所欲也，二者不可得兼，捨生而取義者也。」（〈告子下〉）生命是可貴的，正義比生命還珍貴，在生死關頭，寧可爲正義去死，也決不屈辱貪生。這句話和孔子講的「殺身成仁」一樣，都是教導人們要生得正大，死得光明，做一個有氣節的仁人志士。孟子强調的道德自律，突出了獨立人格的價值及其所負的社會責任和歷史使命。

孟子的道德哲學不是提倡宗教性精神，而具有現實性品格，人人在現實中培養、鍛鍊，都可以成爲「聖人」；而且這種理想人格又以自覺的責任感而投入社會實踐，以治國平天下爲己任。

我們撇開孟子人格理想中那些早已過時的封建倫理觀念，排除其心性學中不好的成份，在這些學說裡，還有許多偉詞名句閃耀著灼灼光華，激勵人心，在我們民族的歷史上，曾構成許多志士仁人的人格理想。

孟子心性學的思想體系，後來又被韓愈和宋儒所繼承和發展，建立了宋明理學。理學著重發揮了所謂「三綱五常」的道德規範。其實，孟子在君臣、君民關係上有自己的見解，《孟子》一書很少「三綱」思想。宋儒大講「三綱」時，孟子已經死去一千多年，這筆帳不能記在孟子頭上。

❖天命觀

殷周以來，中國傳統的天命觀，以天爲萬有之本源，是決定自然和人事的主宰。在先秦較早的古籍中，「天」有三義。一是人格化的宗教性的最高的神，能夠降福於人，如《尚書・召誥》稱「皇天上帝」，《詩經・皇矣》曰：「天立厥配」。二是道德法則的本體，如《詩經・烝民》曰：「天生烝民，有物有則；民之秉彝，好是懿德」。三是自然現象的物質的天，如《詩經・雲漢》：「倬彼雲漢，昭回於天；瞻卬昊天，有嘒其星。」

孔子談天，上述三義均有所取。一方面，他承認天是自然現象：「四時行焉，萬物生焉，天何言哉？」（《論語・陽貨》）一方面，他又以爲天是宇宙萬物的最高主宰，具有神和道德的雙重性質：「死生有命，富貴在天」（《論語・顏淵》），「獲罪於天，未可禱也」（《論語・八佾》）。孔子不談鬼神，但承認天命，看來，孔子只是繼承了殷周以來的天命觀，並沒有具體論述。

孟子同樣繼承殷周以來的天命觀，關於「天」的觀念，孟子的理解和孔子相類似，如〈萬章上〉：「堯薦舜於天，而天受之」，天是主宰一切的人格化的至高神；〈離婁上〉：「誠者天之道也」，天是道德的主體；「天之高也，星辰之遠也」，則是自然形態的天。

「天」雖有上述三義，然從殷周以來，傳統的天命觀是把「天」與「命」連在一起，指人類所不能主宰的某種意志或某種必然性，稱爲「天命」，則是取其前二義了。西周時代的天命觀，較之殷周有了很大進步，簡括來說，一是天命無私，無所不在，上帝眷愛下土的每一人，它不同於西方的宗教，沒有所謂「上帝的選民」或「上帝的獨生子」之類觀念；二是天心好德，上帝是道德神，或道德的化身，它只是把天命降給修德之人，所以它不重祈禱，而重人的修德；三是天命靡常，天能降命，也能撤命，因而人必須長久修德，才能保持永命。孔子和孟子都全面地繼承了西周的以德承天的天命觀，但孟子又進一步作了新的發揮，在那個時代，具有更大的進步性。

孟子對天命觀的創造性的發揮，表現在以下幾個方面：

一、天意在於民意

孟子首先繼承傳統的天命觀，承認君主的地位和權力是天命授予的，「天降下民，作之君，作之師」（〈梁惠王下〉），天降生萬民，就要立君主來治理，立師來教育，人民接受統治和教育便是順天命。天必然選擇有德者爲主，孟子認爲，堯把天子之位傳舜，舜傳禹，是天命，而禹傳子，因爲其子有德，也是天命；因此，無論禪讓或世襲，都不需要褒貶，重在有德，凡有德者爲主，都是天命。但是，天命如何降給有德者呢；又如何易命呢？孟子進一步論述說：「堯薦舜於天，而天受之；暴之於民，而民受之；故曰：天不言，以行與事示之而已矣。」這是說，天不能說話，天意只是通過行事表現出來，讓什麼人爲天子，先要老百姓願意接受，即「使之主事，而事治，百姓安之，是民受之也；天與之，人與之。」（〈萬章上〉）最後他引〈泰誓〉的話：「天視自我民視，天聽自我民聽」，天意通過民意表現出來，民意反映天意。他提出天子要具有「天受」和「民受」兩個條件，而「天受」是虛的，「民受」才起主要作用，這實際上是用民意來代表天意，繞了個彎，又回到了民本學說，這是孟子對傳統天命論的突破和發展。

二、立命

顏回是孔子認爲德行最好的得意弟子，年輕早喪，孔子悲痛地說：「天喪予！天喪予！」把顏回的夭折歸爲天意。孟子根據周公、孔子這樣的「聖人」不能當天子，舜、禹、益的兒子有好有壞，由此而推論：「皆天也，非人之所能爲也。莫之爲而爲者，天也；莫之致而至者，命也。」（〈萬章上〉）人的窮通壽夭、吉凶禍福在於天，不是人力所能決定的，凡事並未努力去做卻做成了，這是天意，不想發生的事卻發生了，這是命運。

既然天命是人無法抗拒的，所以孟子提出「順天者存，逆天者亡」（〈離婁下〉），即不是完全消極的宿命論，不消極地等待天命，而要在天命的範圍下積極有爲，聽天命而盡人事。他說：「存其心，養其性，所以事天也。夭壽不貳，修身以俟之，所以立命也。」（〈盡心上〉）保存自己的善心，培養自己的本性，無論短命或長壽都不變，修身等待天命的來臨，這就是立命。他又說：「莫非命也，順受其正。是故知命不立於岩牆之下。盡其道而死者，正命也；桎梏而死者，非正命也。」（同上）凡事由天命決定，接受天命就要順天的正道行事，例如，危險的高牆隨時會坍塌砸死人，知天命就不會站在危險的高牆下面；作惡犯法會入獄判刑處死，知天命就不去爲非作歹。人能恪盡天道，即便發生禍患，並非自取，死而無憾；雖然早夭，也是盡其天年，得其正命；如果違背天命，立於岩牆之下砸死，或犯罪處死，那是禍由自取，乃死於非命。

孟子的立命觀點著重說明年壽長短由天不由人，人可以不去考慮，而積極地修養心性，順天道行事，壽終死而無憾，這就是得其正命，也就是立命。

三、天人合一

人要順天道行事，就要知天。孟子又提出「盡心知性知天」的觀點。人人內心都有天賦的仁義禮智四端，這四種倫理道德既是天賦予的，它們就是天道，或曰天理。盡心知性，即通過修養和實踐把這四端在內心盡量擴大、充實和完善，使它從初級的感性的階段上升到高級的理性的階段；天理就在人心，對這四德能有深刻的認識，就是知天。所以孟子說：「萬物皆備於我矣」（〈盡心下〉），即指萬事萬物的道理都具備在我心中，不需要再在外面尋求了。

孟子所說：「存其心，養其性，所以事天也」，指的就是把仁義禮智四德化爲自己的精神主體，便能自然而然地達到思想和行事都與四德契合，那麼人心即天，人與天融合一體。人只需按這一套封建倫理道德原則去做，也便是順天道了。

孟子關於天與人之間關係的這種觀點，把封建道德觀念上升到天道的高度，在中國思想史上有其深遠的影響。漢代董仲舒繼承和發展了這一思想，並且以天人合一爲基礎，又發展爲天人感應的神學體系，說什麼人們對天的虔誠禱告、善行和惡行都會感應上天，使天改變預定的安排。對人的善行，因爲符合天意，天會通過自然界的祥瑞現象，表示對人的嘉獎；對人的惡行，因爲違背天意，天則通過自然界的災異來表示對人的懲罰或警告。無論是天人合一，或天人感應，都是把封建倫理道德說成是先驗的、永恆的法則。

孟子論述的天人合一觀點，還是比較簡約的，董仲舒在理論上把它向神祕化發展，也是比較粗疏的，宋代的二程和朱熹拋棄了董仲舒的荒誕的神學，發展孟子的觀點，賦予比較精緻的理論形式，創建了理學或曰道學。

如果說孟子的理論，在封建社會的前期還有促進和鞏固封建社會的作用，那麼，董仲舒的學說則帶有愚民的性質，完全丟掉了孟子觀點中的那一點積極的人生態度；宋儒對孟子觀點的繼承和發展，是又把他的觀點發展到更加極端化和體系化。宋明理學鼓吹「三綱五常」即天理，「存天理」、「去人欲」、「我心即宇宙，宇宙即我心」，在封建社會後期阻礙和延緩了社會的發展。

❖歷史觀

孟子的歷史觀是唯心史觀，表現爲天才論，歷史循環論和勞心者治人，以天才論爲核心。

一、天才論

天才論是孟子「聖人治世」和「賢能政治」的人治思想的理論基礎。

孟子把人分爲先知先覺，後知後覺兩類：先知先覺是天生的聖人、大人，如堯舜禹湯文武周公都是天生的聖人，即天才，他最尊敬的孔子，則是超天才，「自生民以來，未有夫子也」（〈公孫丑上〉），讚揚孔丘是自有人類以來最偉大的聖人。天才要幾百年才產生一個，

「五百年必有王者興，其間必有命世者」（〈公孫丑下〉）。天才不學而知，不慮而智，具有超凡的德性和智慧，是天降下來治理或教育天下萬民的。不降生天才，天下混亂；天才出現，就會天下大治。把國家的治亂、社會的發展，完全寄託在個別超凡的人物出現，這是典型的天才史觀即英雄史觀。

二、歷史循環論

既然只有天才出現天下才會大治，天才不降生，天下必然混亂，而天才五百年才出現一個，按照孟子的邏輯，那麼天下必然有治有亂，而且亂久而治短了。

孟子說：「天下之生久矣，一治一亂。」（〈滕文公〉）據他說，「五百年必有王者興」，所謂「王者」，即以仁義統一天下的人，從堯舜到湯五百年，由湯到文王五百年，由文王到孔子五百年，每經過大約五百年時間，天必然降生聖人來平治天下。聖人一出現，天下大治，治了不久，又亂了，天再降生個天才。治和亂如此循環，構成了以天才論爲中心的歷史循環論。

孔子以後的戰國時代又是天下大亂，但孟子生時上距孔子還不到二百年，孟子嘆息到：「夫天未欲平治天下也，若平治天下，當今之世，捨我其誰也！」這段話裡充滿著以天下爲己任的社會責任感，又流露著生不逢時的哀嘆。其實，孟子忽略了一個重要的事實，即他認爲自古最大的聖人孔子，雖然在文王之後約五百年降生了，也是生不逢時，並未能平治天下。

治和亂是矛盾的統一，治、亂的根源是生產力和生產關係的矛盾，生產關係的矛盾尖銳化發展爲社會衝突，這就是「亂」；通過衝突、調整、改變或改善生產關係，生產力發展了，於是矛盾相對地統一，這就是「治」；但是，生產力總是向前發展的，又會產生新的生產力和生產關係的矛盾，於是再衝突，再統一……治和亂不是簡單的重覆和機械的循環，而是生產力和生產關係在新水平的發展，也就是社會的進步。孟子對社會發展的認識是表面的。

三、勞心者治人，勞力者治於人

人類社會發展到一定階段，產生了勞心和勞力的分工。多數人從事生產性體力勞動，少數人從事政治經濟管理或專門從事科學技術和文化藝術創造。就社會發展來說，勞力和勞心的分工爲科學文化的發展創造了必要的條件，推動了社會進步。

孟子論證了社會分工的必要性，這是沒有疑問的。他又論證了專人領導農業生產、水利建設、教育文化的重要作用以及這些勞心者無暇參加生產勞動，這也是沒有疑問的。孟子的失誤，在於他把勞心看作是「大人」、「君子」之事，把勞力看作「小人」、「野人」之事。他說：「有大人之事，有小人之事。……或勞心，或勞力，勞心者治人，勞力者治於人；治於人者食人，治人者食於人，天下之通義也。」（〈滕文公上〉）他把貴族、統治者稱爲「君子」、「大人」，而把被統治者稱爲「小人」、「野人」，根據他的天命論，這些都是天命注定的，他們之間的關係是治與被治的關係，而被統治者養活統治者，統治者靠被流治者養活，這種統治和剝削關係是天經地義的，這就借社會分工而爲統治剝削製造理論根據了。

戰國墨家學派代表小生產者利益提出「兼愛」，反映了小生產者的平等要求。墨家學派的學者布衣粗食，參加勞動。孟子批判墨家的這些主張是無父無君的禽獸行爲。農家學派有個許行，認爲勞動者不夠吃，而國君的府庫卻十分充實，他很不滿，主張君民並耕而食，饔飧而治。孟子反對說，國君是秉承天意來治民的，怎麼能夠與民同耕呢？勞力只是被統治的勞動人民的事，統治者只需要用心思來治理人民。他又說：「無君子莫治野人，無野人莫養君子」（〈滕文公上〉）勞動人民必須由統治者來統治，統治者必須由勞動者來供養，統治者和勞動人民是治與養的關係。孟子認爲這是通行天下不變的原則。依照孟子的這個原則，勞動人民就應該在統治者的統治下，從事勞動生產來供養統治階級。這確實是統治剝削的理論。

孟子的歷史觀之中有較多的封建性糟粕，幾乎掩蓋了他的民本學說和理想人格之中的耀眼光彩。他對人民苦難的同情，他的爲民請命，他爲人民謀取福利的某些善良願望，基本上是站在替天行道的立場上，以救世主的姿態出現的。他的「民爲邦本」的思想和仁政綱領，歸根結底是爲謀求長治久安。孟子一生孜孜以求的是依靠聖賢一類人物，建立能夠保證人民生存需要的開明政治，這就是孟子學說在總體上爲歷代爲政者所推崇，乃至也爲某些獨裁者如朱元璋之流所終於接受的原因。

第四節　孟子的教育思想

孟子和孔子一樣，在晚年從事著述和教學活動，他教育的子弟門人，在戰國形成人數衆多、影響最大的孟子學派。孟子是一位成績卓著的教育家。

「教育」一詞，在中國最早即見於《孟子·盡心上》：「得天下英才而教育之，三樂也。」孟子把教育英才作爲人生的三大樂事之一，他十分重視教育的作用，因而熱愛教育工作。

孟子的教育思想以他的性善論爲根據，先後論述了教育的目的和作用、道德教育、教學的原則和方法等問題。

❖教育的目的和作用

孟子認爲人生而具有天賦的「善端」，或稱之爲「良知」、「良能」，這「良知」、「良能」還處於萌芽狀態，必須培養它，擴充它，使它達到充沛的、至高的、完善的地步，便可以達到聖人的道德精神境界。但是，後天環境的影響可以改變人的天性，不良環境的習染和私欲的引誘，都會蒙蔽人的「善端」，把人引入邪惡。所以要經常學習，提高認識，加强實踐，使內心的「善端」由自在的感性階段，上升到自覺的理性階段，從而得以鞏固和發揚；如果不學習，渾渾噩噩，愚昧不化，便會迷失本性。孟子認爲，這是聖賢和愚氓、君子和小人的區別所在；他說：「飽食暖衣，逸居而無教，則近於禽獸」（〈滕文公上〉），所以他建議「謹庠序之教，申以孝悌之義。」（〈梁惠王上〉）庠、序即古時的學校，孟子主張開辦學校對青少年進行教育。辦教育，是孟子仁政綱領的重要內容之一。孟子提倡的教育目的，就是通過仁義禮智孝悌忠信等封建道德的正確教育，培養和發揚人的向善之心，使受教育者成爲自覺地實踐封建倫理道德的有教養的人。

孟子認爲，教育的作用比政治的作用更有效果。他有一句名言：「善政不如善教之得民也。善政民畏之，善教民愛之；善政得民財，善教得民心。」（〈盡心上〉）善政，指的是善於有效地行使政權，這不過只能夠使人民畏服和從人民那裡收取到稅役，而辦好教育，卻能夠爭取到民心，得到人民心悅誠服的擁護，就可以不治而治，不斂而足。他說：「教以人倫，父子有親，君臣有義，夫婦有別，長幼有序，朋友有信」（〈滕文公上〉），以封建倫理道德來規範人際關係，封建制度便可以鞏固和持久。

孟子的教育目的論是通過教育培養具有高度道德覺悟的人，以教育爲社會服務。

❖道德教育

孟子說：「學問之道無他，求其放心而已矣。」（〈告子上〉）「求其放心」即存心養性，注重道德修養，孟子把德育作爲教育的第一要義。如何進行德育呢？孟子提出要注意培養道德理想和鍛鍊道德意志。

孟子認爲首先要樹立道德理想。「王子墊問曰：『士何事？』孟子曰：『尚志。』曰：『何謂尚志？』曰：『仁義而已矣，……居仁由義，大人之事備矣。』」（〈盡心上〉）「尚志」就是樹立理想，而這個理想就是實行仁義，以仁爲心，按義行事，就是君子所具備的道德。他又說：一個「士」應該「居天下之廣居，立天下之正位，行天下之大道。」（〈滕文公下〉）這是說，要以天下歸仁爲己任，以禮爲社會的規範，以義爲人生的大道。他所要求的浩然之氣，其根本在於這個「志」字：「夫志，氣之帥也；氣，體之充也。夫志，至焉，氣，次焉，故曰，持其志，無暴其氣。」（〈公孫丑上〉）所以人必須有弘大的志氣，軒昂奮發，爲大人，爲君子，爲豪傑，爲大丈夫，任重道遠，激揚向上，有所作爲，不爲富貴所淫，不爲貧賤所移，不爲威武所屈，「窮則獨善其身，達則兼善天下。」（〈盡心上〉）

樹立道德理想，就要寡欲，內省（反求諸己），即過艱苦樸素的生活，不斷反省檢查自己的思想言行，接受各方面的考驗。我們在前面引過孟子那一段「天將降大任於是人也」的格言，只有「必先苦其心志，勞其筋骨，餓其體膚，空乏其身，行拂亂其所爲，所以動心忍性，曾益其所不能」，然後才能成爲仁人、君子，擔當大任。孟子認爲，只有通過意志的鍛鍊，才有堅强的意志，從而爲堯爲舜。

孟子的德育思想是以倫理道德爲根本，進行理想人格的教育和勵志教育。

通，有的獨具見解。

❖教學與學習的原則和方法

孟子直接論述教學方法的言論不多，但在《孟子》七篇中許多言論與教學的原則和方法相

一、順應自然

孟子認爲對人進行道德教育是順應人的天性的，「存心養性」的功夫，是把天賦的善性保存、擴充和發揚，是順應人性之自然，即所謂「仁義禮智非由外鑠我也，我固有之也。」

順應自然，就要循序漸進，不能冒進，也不能揠苗助長。他反對冒進：「其進銳者其退速」（〈盡心上〉），操之過急，其效果適得其反。對人的培養教育也是如此，必須順應每個人的稟賦本性，順應其自然生長的規律漸漸生長。他舉過一則生動的寓言故事：「宋人有閔其苗之不長而揠之者，芒芒然歸，謂其人曰：『今日病矣，予助苗長矣。』其子趨而往視之，苗則槁矣。」他通過這則寓言發表議論說：「助之長者，揠苗者也。非徒無益，而又害之。」（〈公孫丑上〉）

順應自然，還要因材施教。他說：「君子之所以教者五，有如時雨化之者，有成德者，

有達財（才）者，有答問者，有私淑艾（藝）者，此五者，君子之所以教也。」（〈盡心上〉）這裡舉出五種教學方法，有的要像及時雨一樣去培育灌溉，有的要培養品德，有的要引導他們發揮自己的才智，有的是解答疑難，有的不能親自來受學也要設法給予幫助。這段話說明，要根據受學者不同的稟賦和各自的具體情況，量材施教，對不同的對象採用不同的方法，各適其性。

二、重視教育環境和以身作則

孟子幼年時，他的母親爲了給他找一個良好的受教育環境，曾經搬過三次家。孟子也很重視環境對人的影響作用。優良環境的涵育，施教可以得到事半功倍的效果，惡劣環境的薰陶，又會戕害善良的天性，施教將事倍功半，甚至難見成效。孟子以學習語言爲例說：「有楚大夫於此，欲其子之齊語也，……一齊人傅之，衆楚人咻之，雖曰撻而求其齊（語）也，不可得矣；引而置之（齊國的）莊（街）岳（巷）之間數年，雖日撻而求其楚（語），亦不可得矣。」（〈滕文公下〉）這個例子生動地說明了環境對學習的作用。

有了良好的環境，還要重視發揮施教者以身作則的作用。教育必須有個標準，讓受教育者學習效法，而且標準要嚴要高，才能造就出優秀的人才。孟子說：「大匠誨人，必以規矩，學者也必以規矩。」（〈告子上〉）沒有規矩，教者無以教，學者也無以學，也就不存在教學這件事；如果標準低，或者要求不嚴，學者學的成績也稀鬆平常。所以他說：「大匠不爲拙工改廢繩墨，羿不爲拙射變其彀率。」（〈盡心上〉）高明的木匠不因爲笨拙的工人而改變或廢除繩墨，善射的后羿不因爲笨拙的射手而改變拉弓的標準。按大匠和羿的標準學，才能成爲良工和高超的射手。孟子認爲，施教者應該像大匠和羿一樣，以自身立教，以純熟的工藝、射藝讓學生來學習效法。他又說：「賢者以其昭昭，使人昭昭」（〈盡心下〉），「教者必以正」（〈離婁上〉）。教學重在示範，教師必須以身作則，作學生學習效法的榜樣。

三、專心致志，精勤不懈

孟子教誨學生學習必須專心致志，即精神集中，心無二用。他以學弈爲譬說：

> 今夫弈之為數，小數也，不專心致志，則不得也。弈秋，通國之善弈者也，使弈秋誨二人弈，其一人專心致志，惟弈秋之為聽，一人雖聽之，一心以為有鴻鵠將至，思援弓繳而射之，雖與之俱學，弗若之矣。為是其智弗若與？曰：非然也。（〈告子上〉）

同一位老師傳授兩個弟子，一人學有所成，一人學無所成，不是二人智力的差別，而在於專心致志與否。孟子反對那種三心二意和心不在焉的學習態度。

學習不但要專心致志，還必須有恆，即堅持不懈。他說：「一日暴之，十日寒之，未有能生者也。」（〈告子上〉）即使是容易生長的植物，一曝十寒，也是不可能生長的。他又舉掘井爲譬：「有爲者，辟（譬）若掘井，掘井九仞，而不及泉，猶爲棄井也。」（〈盡心上〉）古七尺爲仞，掘井掘到六七丈深，還不見水，功虧一簣，和棄井一樣。學習不貫徹始終，中途放棄，也同樣前功盡棄。所以，學習必須堅忍有恆，不可始勤終惰，半途而廢。

四、精研覃思，深造自得

孟子說：「梓匠輪輿，能與人之規矩，不能使人巧。」（〈盡心下〉）木匠和車木工只能教給人規法矩度，不能使人技巧高超，所以求學能否有成，全在自己努力深造。他又說：「心之官則思，思則得之，不思則不得也。」（〈告子上〉）大腦這個器官就是用於思考的，凡事用心去思索就會有所得，反之，就不會有所得。在學習上更是這樣，必須精研覃思。所謂精研覃思，就是對學習的內容認眞思考，明了其底蘊，領會其精奧。以讀書而言，要求深入掌握書中蘊涵的主旨和精華，而不是只了解表面的字句和粗疏的梗概。孟子還提出「盡信書，則不如無書」（〈盡心上〉），對書本不能盡信，對書中所講的內容也要問個爲什麼，應該獨立思考，研討它說的是否合理。這和孔子倡導的「學思結合」是一致的。孟子反對那種浮光掠影、粗枝大葉、不求甚解的學習態度。

孟子認爲學習應該求取深造。教學只是指示門徑，學習者應該專心持恆、精研覃思，勤勉進取，登堂入室，不斷深造。學習的最高要求，是達到「自得」的境界。他說：「君子深造之以道，欲其自得之也。」（〈離婁下〉）何謂「自得」？他接著解釋說：「自得之，則居之安；居之安，則資之深；資之深，則取之左右逢其原。」孟子認爲「深造自得」是學習知識達到的最高境界，達到這個境界時，就能把知識默識心通，在處理和解決問題時操持自如，左右逢源。他認爲，只有達到這個境界，「君子欲其自得之也」，才是眞正地獲得了學問。

怎樣達到深造自得呢？孟子指出了途徑：「博學而詳說之，將以反說約也」（同上），意思是說，學習和掌握廣博的知識，而且能夠把這些知識詳盡地予以解說，再反過來，又能夠把它們扼要地予以闡明。要達到這樣的程度，必須學識廣博，融會貫通，把廣博和精約統一起來，既可以廣博的知識來詳盡地說明問題，又可以從博反約，幾句話就闡明精要。

孟子的教育思想，關於重視道德人格教育，關於教學和學習的原則方法，我們揚棄其中那些封建道德的內容，作爲教育的共同規律，還有不少可資借鑒的東西，是我國古代教育思想中的財富。

在孟子的教育思想中，還存在嚴重的缺陷：無論是道德的培養，或是知識的獲取和深化，他的理論都脫離了實踐。眞正的知識，即人對客觀世界的正確認識，究竟是從哪裡來的？它不是從天上掉下來的，也不是人腦中固有的，它只能從實踐中來，而且還要接受實踐的檢驗。從實踐到認識，再從認識到實踐，如此循環往復，推動人的認識從低級向高級發展。孟子過分强調了人的頭腦的主觀能動性作用，脫離了實踐，違反了正確的認識路線。在這個問題上，我們必須辨別清楚。

第五節　孟子的文藝思想

孟子的文藝思想，表現在他對音樂問題的評論、對《詩》的徵引和解說、對文學鑒賞和文學批評的意見、對作家的修養、以及在這些論述中所表現的關於文學的社會本質和社會作用問題的意見。這些對後世的文學理論批評和文學創作，都有深遠的影響。《孟子》一書的寫作方法和寫作技巧，也是歷代散文寫作的典範。

❖與眾樂樂，與民同樂

孟子與齊宣王談論音樂，有一段饒有趣味的對話：

（孟子）見於王曰：「王嘗語莊子（莊暴）以好樂，有諸？」王變乎色，曰：「寡人非能好先王之樂也，直好世俗之樂耳。」

曰：「王之好樂甚，則齊其庶幾乎。今之樂猶古之樂也。」

曰：「可得聞與？」

曰：「獨樂樂，與人樂樂，孰樂？」

曰：「不若與人。」

曰：「與少樂樂，與眾樂樂，孰樂？」

曰：「不若與眾。」

「臣請為王言樂。今王鼓樂於此，百姓聞王鐘鼓之聲，管籥之音，舉疾首蹙頞而相告曰：『吾王之好鼓樂，夫何使我至於此極也：父子不相見，兄弟妻子離散？』今王田獵於此，百姓聞王車馬之音，見羽旄之美，舉疾首蹙頞而相告曰：『吾王之好田獵，夫何使我至於此極也：父子不相見，兄弟妻子離散？』此無他，不與民同樂也。今王鼓樂於此，百姓聞王鐘鼓之聲，管籥之音，舉欣欣然有喜色而相告曰：『吾王庶幾無疾病與，何以能鼓樂也？』今王田獵於此，百姓聞王車馬之音，見羽旄之美，舉欣欣然有喜色而相告曰：『吾王庶幾無疾病與，何以能田獵也？』此無他，與民同樂也。今王與百姓同樂，則王矣。」（〈梁惠王下〉）

墨子看到爲政者爲了欣賞音樂而加重人民的負擔，造成人民的痛苦，因而主張取消和禁止一切音樂。孟子和這種狹隘的功利主義主張不同，認爲應該實行「與民同樂」的辦法，讓藝術爲社會全體成員所欣賞，這樣，藝術不但不給人民帶來苦難，也能滿足人民大衆的藝術審美要求。他與齊宣王所說的「獨樂樂」不如「與人樂樂」，「與少樂樂」不如「與衆樂樂」，實質上是提出了人類審美活動的社會性。個人或極少數人單獨的藝術活動，得不到別人的贊賞和共鳴，是沒有什麼意義的。孟子又進而向梁惠王說：

古之人與民偕樂，故能樂也。〈湯誓〉曰：「時日曷喪，予及汝偕亡。」民欲與之偕亡，雖有台池鳥獸，豈能獨樂哉？（〈梁惠王上〉）

一切「獨樂」的專制暴君，他們激怒了人民，其結果是被人民推翻，最終是不可能「獨樂」的。孟子的「與民同樂」的思想，與古代氏族社會藝術活動的集體性是一致的，而他要求帝王「與民同樂」，也是古代民主精神的反映；在他的這個主張裡，包含著藝術活動應該符合人民的意願，受到人民的歡迎這些思想成份，現在來看仍不失其光華。

❖文藝爲政治教化服務

孟子也繼承了孔子的文藝思想，主張文學藝術爲政治教化服務。

孟子宣傳他的仁政學說，敍述從前晏子勸說齊景公關懷人民疾苦的故事：「景公悅，大戒於國，出舍於郊，於是始興發，補不足。召大師曰：『爲我作君臣相說之樂。』蓋〈徵招〉、〈角招〉是也。其詩曰：『畜君何尤？』畜君者，好君也。」（〈梁惠王下〉）孟子這篇談話引述古事，其主旨是「樂民之樂者，民亦樂其樂；憂民之憂者，民亦憂其憂。樂以天下，憂以天下，然而不王者，未之有也。」這裡引述的詩的內容，說明諫君是愛君，勸說君王行仁政就是愛君。詩歌是爲政治服務的。

孟子很重視詩歌的政治教化作用，《孟子》全書七篇，每篇都引《詩》取譬，計〈梁惠王〉八處，〈滕文公〉六處，〈公孫丑〉三處，〈離婁〉八處，〈萬章〉五處，〈告子〉四處，〈盡心〉一處，共引詩三十五處。

孟子大量地引述《詩經》中的詩篇，是用以宣揚他的仁政學說和儒家教化觀點。例如，《豳風．七月》：「晝爾於茅，宵爾索綯；亟其乘屋，其始播百穀。」原詩是敍述農奴的辛勤勞動，孟子引申發揮說：「民事不可緩也。爲國之道，必使民有恆產。有恆產者有恆心，無恆產者無恆心。」（〈滕文公上〉）《大雅．皇矣》：「王赫斯怒，爰整其旅，以遏徂莒，以篤周祜，以對於天下。」原詩是敍述文王徂密國侵莒國，孟子引申發揮說：「文王好勇，好勇而安天下之民，適足以王天下。」（〈梁惠王下〉）《大雅．文王有聲》：「自西自東，自北自南，無思不服。」原意是周都遷鎬，四方諸侯歸服，孟子補充發揮說：「以力服人者，非心服也；以德服人者，中心悅而誠服也。」（〈公孫丑上〉）《齊風．南山》：「娶妻如之何？必告父母。」孟子解釋說：「舜之不告而娶，乃不欲廢人之大倫，以慰父母。」（〈萬章上〉）《魏風．伐檀》：「彼君子兮，不素餐兮！」原意是說君子不白吃飯，孟子發揮他的「勞心者治人」而應該「食於人」的理論：「君子居是國也，其君用之，則安富尊榮，其子弟從之，則孝悌忠信。」（〈盡心上〉）……

從這些例子可以看出，孟子重視詩的社會政治作用，說詩完全是爲他的政治理想服務的。作爲社會意識形態的文學，它作爲一定政治經濟基礎的產物，又服務於一定的政治經濟，這是文學的本質之一。孟子說詩顯然受到孔子詩教的影響，用以宣揚他的仁政學說和儒家教化觀點，這樣做，並無可厚非。不過他的引申發揮，有的離詩的原旨較遠，甚至也像孔子一樣，有時穿鑿附會，就不可取了。

❖知人論世，以意逆志

「知人論世」和「以意逆志」是孟子提出的文學鑒賞方法和文學批評方法。

關於知人論世，孟子說：「頌（誦）其詩，讀其書，不知其人可乎？是以論其世也，是尚友也。」（〈萬章下〉）知人，是說「誦其詩，讀其書」，要對作者的生平和思想有所了解；論世，是說對其所處的時代有一定的認識。孟子把文學作品看作一定時代的產物，從而結合作者的生活、思想和時代背景來考察作品，這是分析文學作品的正確方法。

關於以意逆志，孟子說：「故說詩者，不以文害辭，不以辭害志，以意逆志，是為得之。如以辭而已矣，〈雲漢〉之詩曰：『周餘黎民，靡有孑遺。』信斯言矣，是周無遺民也。」（〈萬章上〉）以意逆志，是「以己之意迎受詩人之志而加以鈎考」②，也就是以鑒賞者或批評者之意推求詩人之志。它的具體要求是：不拘泥於個別字句而誤解詩的原意，而要通觀全詩，以個人切身的體會去推求作者的本意。為說明這個問題，孟子這段話的前後有兩個例子：第一個例子是討論《小雅．北山》一詩，有人只看到詩中「普天之下，莫非王土，率土之濱，莫非王臣」四句，斷章取義，提問說：既然舜是天子，爲什麼其父瞽瞍卻不是他的臣民呢?孟子回答說：「是詩也，非是之謂也；勞於王事而不得養父母也。曰：『此莫非王事，我獨賢勞也。』」在這裡，孟子通觀全詩，對整個詩意作出正確解釋。第二個例子是討論《大雅．雲漢》一詩「周餘黎民，靡有孑遺」二句，孟子指出對這類詩句不可理解得太死、太實，也就是不能把藝術的誇張描寫當作眞實的事實來理解，實際上是要求對文學作品的鑑賞和批評都必須注意其語言藝術的特點。

知人論世和以意逆志這兩個方法，並不是孟子一同提出來的，但因爲二者在實際上有機地聯繫，後人便把它們結合起來進行探討。清人顧鎭說：「正惟有世可論，有人可求，故吾之意有所措，而彼之意有可通。……不論其世，欲知其人，不得也；不知其人，欲逆其志，亦不得也。」③他指出以意逆志必須知人論世。王國維也說：「由其世以知其人，由其人以逆其志，則古詩雖有不能解者，寡矣。」④

孟子提出的知人論世和以意逆志，作爲文學鑒賞和批評的方法論，在理論上是正確的，但是付諸實踐時又不容易做到。

關於知人論世，要眞正了解一定的歷史時代和作者的思想與人格，說到底，關鍵又是認識論的問題，必須從實際出發，掌握大量眞實的材料，運用科學方法，才能眞正知人論世。否則，使用片面的、不眞實的材料，或者從偏見出發，任意比附史實，那就既不能知人，也不能論世。孟子雖然提出這個理論，他自己也常常做不好，例如他說：「王者之迹熄而《詩》亡，《詩》亡而後《春秋》作。」（〈離婁下〉）其實，《詩經》中的許多諷刺詩、怨刺詩，並不是「王道」的產物，而是亂世、衰世的作品；又如《魯頌．閟宮》本是寫春秋時代魯僖公隨齊桓公伐楚時之事，孟子卻推崇爲西周初期周公的功業。諸如此類，孟子並沒有弄明白作品的時代和作者的眞實情況，「知人論世」只是空論。

關於以意逆志的理論，不死摳個別詞句，不斷章取義而通觀全詩，這些都是正確的，但是以己之意去推求作者之志，則不是一個科學的方法。在這樣的推求中，起主要的、決定作用的，是鑒賞者或批評者之「意」，是主觀性很強的一種精神活動。當說詩者的意和原詩作者的意是統一的，可能作出符合原意的解釋，如孟子對〈北山〉、〈雲漢〉的解釋；反之，就會以個人的主觀之「意」而曲解詩意，如上引孟子對〈七月〉、〈伐檀〉的解釋。後來的《毛詩序》和漢今文三家說《詩》，大都這樣任意比附史事，以個人主觀意念在詩意上穿鑿附會。

❖知言養氣

孟子的「知言養氣」說，本來不是針對文學問題而發的，可是後世的許多文學家，都把這種說法看作與作家修養的問題相通，解釋爲人與作文的關係。

孟子曾經向學生談到他有兩種特長：

「敢問夫子惡乎長？」曰：「我知言，我善養吾浩然之氣。」（〈公孫丑上〉）

所謂「知言」孟子接著解釋說：就是「詖辭知其所蔽，淫辭知其所陷，邪辭知其所離，遁辭知其所窮。」意思是說，對於片面的言辭知其看不到的所在，對過分的言辭知其失誤的所在，對不合正道的言辭知其背離正道的所在，對躲躲閃閃的言辭知其理屈的所在。孟子確實具有這樣的「知言」能力。在《孟子》七篇中所記述的孟子的談話以及他與別人的辯論，處處都表現了辨析他人言辭的銳利眼光以及他運用言辭的優異才能。

「知言」和「養氣」的關係密不可分，「知言」由「養氣」而來。所謂「養氣」，即人們長期進行道德修養，堅持道德實踐，產生一種宏大、剛強、充沛的「浩然之氣」，也就是處於高尚的道德境界中的人們所具有的那種自豪的、奮發的、無所愧怍、無所畏懼的精神狀態，它是人的內在的情感、意志、精神、思想、氣質、材性的交融統一。「養氣」是一種思想修養的功夫，隨著思想才識的提高，辨別和運用言辭的能力就會加强，所以孟子把「知言」和「養氣」並論，不但把「養氣」看作是提高個人道德修養和培育個人思想意志的方法，也認爲是「知言」或「立言」的必要準備。文章總是體現作者的思想認識和精神氣質的，「浩然之氣」愈充沛，對於詖辭、淫辭、邪辭、遁辭的辨別力愈强，發表的言論也自然理直氣壯，剛正自信，所以氣和言的關係，也就是思想修養和文章寫作的關係，要寫好文章，一定要在思想修養上下功夫。

從孟子的寫作實踐來看，他的文章有其獨特的風格：觀點鮮明，感情强烈，氣勢磅礴，浩浩蕩蕩，有如長江大河，奔流而下，名言睿智，熠熠生光。列爲唐宋八大家的蘇洵說：「孟子之文，語約而意盡，不爲巉刻斬絕之言，而其鋒不可犯。」⑤這是說孟子的文章內容豐富深刻，辭鋒犀利，具有不可抗拒的內在精神力量。蘇轍則通過孟子的文章對其「養氣」說作了闡述和發揮：「文者氣之所形，然不可以學而能，氣可以養而致，孟子曰：『吾善養吾浩然之氣』。今觀其文章，寬厚宏博，充乎天地之間，稱其氣之小大。太史公行天下，周覽四海名山大川，與燕趙間豪俊交遊，故其文疏蕩，頗有奇氣。此二子者，豈嘗執筆學爲如此之文哉？其氣充乎其中而溢乎其貌，動乎其言而見乎其文，其不自知也。」⑥他說明了文章是作者思想氣質的表現，通過思想道德和精神氣質的修養，文章可以達到天然化成的境界。

魏曹丕的「文以氣爲主」⑦，梁劉勰的〈養氣〉篇⑧，唐韓愈主張的「氣盛」⑨，都是對孟子「知言養氣」說的繼承和發揮。蘇轍不同於前人之處，是他除了强調內心道德修養，而且主張增加社會閱歷：一方面通過山川形勢奇聞壯觀擴大眼界，開闊心胸，激發志氣；一方面是通過社會交遊，與名師大儒英雄豪傑結識，接受教育，增長見識。這樣，蘇轍就對傳統的「養氣」說賦予了現實的物質基礎。

孟子的「知言養氣」說的影響十分長遠，尤其在文學理論批評和散文創作領域的影響更爲深刻。强調作家的思想道德修養的觀點，在現在也仍然是正確的。孟子生活在兩千餘年前中國封建社會的上升時期，他的「養氣」說有其時代的鮮明的階級內容。任何一位偉大的歷史人物，都不可避免地受到自己所處時代和階級的侷限，孟子代表的封建階級畢竟是一個剝削階級，當它成爲政治的主角在歷史舞台上叱吒風雲，與人民一同推動歷史前進之時，所提出的理論雖然較貴族奴隸主的意識形態開明和進步，但畢竟有其先天的缺陷。孟子的學說正是如此。孟子的文章內容深厚，氣勢充沛，語言流暢而睿智，辭鋒犀利，具有雄辯的氣概，但在辯論某些問題時，由於理論本身上的先天不足，也難免有強詞奪理或浮誇詭辯之處，在這一點上，我們也同樣無須苛求於古人了。取其精華而去其糟粕，是我們一貫的方針，對《孟子》一書也當如此。

第六節 《孟子》的注疏和研究

《孟子》一書，在宋代以前列爲「子書」。五代時蜀主孟昶刻蜀石經，北宋太宗趙光義刻宋石經，開始稱爲經，《直齋書錄解題》正式著錄於經部。元祐年間（西元一〇八六～一〇九四年），《孟子》和《論語》一同被定爲科舉考試的內容，南宋朱熹作《四書集注》，列《孟子》爲「四書」之一，確立了它在經部的地位，匯刻十三經時，收《孟子》爲十三經之一。

現存最早的《孟子》注疏是東漢趙岐所撰《孟子章句》，史志及諸家目錄通稱《孟子注》。趙岐把《孟子》七篇各分上下篇，凡十四卷、二百六十一章，依章節句讀串釋其義，書前總序稱爲《孟子題辭》，是一篇有價值的學術研究論文；每章章末用韻語概括義理，稱爲「章指」。趙岐的注釋和題辭一直是《孟子》研究的重要文獻。現通行的宋《十三經注疏》匯刻本所收《孟子》，即以趙岐注本爲本，題爲「漢趙岐注、宋孫奭疏」。經後人考證，所謂「宋孫奭疏」

是僞托的。孫奭是曾經奉敕校定趙岐《孟子注》，但他只撰寫了《孟子音義》二卷，並未爲趙注作疏。所謂孫奭疏（又稱《孟子正義》），是宋儒僞托孫奭之名，而且把趙注每章章指刪除而散入疏中，所以趙注已非原貌。一九八〇年中華書局影印清阮元刊刻的《十三經注疏》本《孟子》，在校勘記附有章指。現《十三經注疏》通行本《孟子》所題「孫奭疏」應該題爲「僞孫奭疏」。不過「僞孫奭疏」雖然盡刪趙注章指，而其疏也有疏解精善之處，倒不必蔑棄。

《孟子》一書的內容，在東漢前期曾經受到王充的批判。王充所著《論衡》一書有一篇專文〈刺孟〉，和他另一篇專文〈問孔〉是批判孔孟之道的姊妹篇。〈刺孟〉篇挑出《孟子》書中前後矛盾，以及脫離實際詭辯之處，稱孟子爲「俗儒」，並且批判了孟子的天命觀。

宋儒對孟子是推崇讚賞的。朱熹《四書章句集注》中《孟子集注》十四卷，較多引用二程（顥、頤）及其他理學家之說，因而在注解中注重義理的解釋和發揮，貫通程朱理學的思想和概念。朱熹又輯錄《論孟精義》，集十二家之說，旨在發明二程學說，推崇《論語》、《孟子》在義理之學中的地位：「學者當以《論語》、《孟子》爲本，《論語》、《孟子》既治，則六經可不治而明矣。」本書有《四庫全書》本。宋・趙栻的《癸巳孟子說》（一稱《孟子解》）也是理學家解說《孟子》義理的名著，通行有《叢書集成》本。

清代的《孟子》研究有新的進展，其研究成就，主要表現在兩個方面：

一方面是在義理研究上對程朱理學的批評，這可以清初思想家黃宗羲開其端。黃宗羲論述其師劉宗周關於《孟子》學說的見解，撰《孟子師說》一卷，以王（陽明）學爲本而批評朱熹的學說。他關於心性之學，發明「獨愼」功夫的重要，認爲「容貌辭氣皆一心之妙用，一絲一竇漏，一隙一缺陷，正是獨體之莫見莫顯處，若於此更加裝點意思，一似引狼入室，永難破除。」戴震所著的《孟子字義疏證》，以疏證《孟子》字義的形式發揮自己的哲學思想，全書分上中下三卷，開卷即闡明理、欲之異同。他認爲人有天然正當的要求和欲望，順應人的正當的要求和欲望，使人們普遍得到滿足，才是「聖賢之道」即「理」；從而他批判程朱理學「存天理滅人欲」是顚倒是非，葬送孔孟之道，進而揭露程朱所倡導的「理」，完全是「尊者」、「長者」、「貴者」壓迫「在下之人」的工具，是「以理殺人」。在論及天道及人性時，他還認爲世界的本原是物質的，批判了孔孟到王陽明的先驗論。在他深刻而激烈的對理學的批判中，已經包含了某些反封建禮教和反封建專制主義的近代思想的萌芽，啓蒙了近代哲學思想。

另一方面是在《孟子》注疏上集歷代注疏之大成，焦循撰《孟子正義》三十卷。焦循推重趙岐注本而不滿僞孫疏本，他博採經史傳注，以及淸儒有關《孟子》的資料，徵引六十餘家，先爲長編，再薈萃精義，刪繁補缺，既以趙注爲本，又打破唐宋的疏不破注的舊例，對趙注或有所疑，或作駁正，或兼存諸說。在總體內容上，既注意詳於訓詁名物的考證，又闡述道德倫理和心性之學的精微，是歷代《孟子》注疏的最完善的本子。自從有了《孟子正義》，有清一代無人再注疏《孟子》。

近代和現代的《孟子》研究，尚未聞有傳世之名著。一九二八年有王治心撰《孟子研究》（上海羣書出版社）對孟子學說分總論、政治思想、形而上學、人生哲學、教育哲學、餘論六章，作梗概的敍述。一九三七年楊大膺撰《孟子學說研究》（中華書局），試圖運用現代哲學和社會科學原理，對孟子學說作新的闡述。這兩本書文字和內容都比較淺顯，只是研究《孟子》的初級入門讀物。

在當代，楊伯峻撰《孟子譯注》，自一九六〇年中華書局出版以來，多次重印，在大陸及海外有廣泛影響，是現代較流行的注譯本。全書由原文、譯文、注釋三部分構成，書前有導言，書後附《孟子詞典》，精於訓詁、校勘，雖有闕漏和失誤處，仍是通讀《孟子》的較好讀本。

在五十至八十年代的大陸，報刊上發表了一些研究論文，研究範圍包括孟子的哲學、政治、倫理、經濟、教育和美學思想；孟子的階級屬性；孟子在歷史上的地位與評價，以及研究孟子的方法論等問題，反映了大陸當代學術界孟子研究的進展及其成果。孔孟學研究叢書編委會編選了《孟子研究論文集》，收論文三十三篇，由山東大學出版社於一九八四年出版。在台灣，黎明文化事業公司於一九八二年出版了《孟子思想研究論集》（列入《國學研究叢書》），編選了發表在《孔孟學報》上的吳康等人的研究論文十五篇，反映了台灣當代學術界孟子研究的進展及其成果。

注釋

①司馬遷《史記》和東漢趙岐《孟子題辭》均曰孟軻表字無傳，而魏晉王肅《聖證論》引《孔叢子》則曰孟子字子車、子輿，但《孔叢子》是王肅所作僞書，所說極不可靠。清焦循曰：「馬遷不知，趙岐不知，王肅何以知之？」

②朱自清：《詩言志辨・比興》。

③顧鎭：《虞東學詩・以意逆志說》。

④王國維：《觀堂集林・玉溪生年譜會箋序》。

⑤蘇洵：〈上歐陽內翰書〉。

⑥蘇轍：〈上樞密韓太尉書〉。

⑦曹丕：《典論・論文》。

⑧劉勰：《文心雕龍》。
⑨韓愈：〈答李翊書〉。

推薦閱讀書目

・《孟子注疏》 漢・趙岐注，宋孫奭疏，《十三經注疏》通行本。
・《孟子章句集注》 朱熹注，《四書章句集注》通行本。
・〈刺孟〉 東漢・王充撰，見《論衡》第二冊，中華書局校點本。
・《孟子字義疏證》 清・戴震撰，中華書局，一九六一年校點本。
・《孟子正義》 清・焦循撰，中華書局新校點本。
・《孟子譯注》 楊伯峻撰，中華書局，一九六〇年本。
・《孟子義理疏解》 王邦雄等撰，鵝湖出版社，一九八三年本。
・《孟子研究論文集》 孔孟研究叢書編委會主編，山東大學出版社，一九八四年本。
・《孟子思想研究論集》 吳康等撰，台灣黎明文化事業公司，一九八二年本。

附錄　參考引用書目舉要

一　總論

・史記有關傳記　〔漢〕司馬遷撰　通行本
・漢書・藝文志　〔漢〕班固撰　通行本
・隋書・經籍志　〔唐〕長孫無忌等撰　通行本
・宋元學案　〔清〕黃宗羲等撰　通行本

・明儒學案　〔清〕黃宗羲撰　四部備要本
・儒林宗派　〔清〕萬斯同撰　乾隆三十八年辨志堂刻本
・四庫全書總目提要　〔清〕紀昀等撰　四庫全書本
・經學通論　〔清〕皮錫瑞撰　中華書局新排本
・經學歷史　〔清〕皮錫瑞撰　中華書局新排本
・新學僞經考・孔子改制考　〔清〕康有爲撰　上海大同譯書局一八九八年本
・清代學術概論　梁啓超撰　中華書局飲冰室合集本
・清儒學案　徐世昌撰　北京中國書店影印本
・經學教科書　〔近〕劉師培撰　一九三六年劉申叔先生遺書本
・羣經大義　〔近〕廖平撰　一九一七年成都六譯館叢書本
・中國哲學史大綱（上）　胡適撰　商務印書館一九一九年本
・古史辨　顧頡剛等撰　上海古籍出版社新影印本
・青銅時代　郭沫若撰　全集歷史編一卷
・十三經概論　蔣伯潛撰　世界書局一九四四年本
・中國經學史的演變、經學講演錄　范文瀾撰　收范文瀾歷史論文選集　中國社會科學

出版社一九七九年本

- 國史大綱　錢穆撰　商務印書館一九四〇年本
- 三松堂文集第四～五卷　馮友蘭撰　人民出版社新排本
- 中國哲學史新編　馮友蘭撰　人民出版社一九八〇年修訂本
- 周予同經學史論著選集　周予同撰　上海人民出版社一九八三年本
- 中國哲學發展史（先秦）　任繼愈主編　人民出版社一九八三年本
- 中國哲學大綱　張岱年撰　人民出版社本
- 中國古代思想史論　李澤厚撰　人民出版社一九八五年本
- 國學概論　〔近〕章炳麟撰　章氏遺書本
- 中國經學史　馬宗霍撰　商務印書館一九三七年本
- 中國經學史論文選集　林慶彰編　臺北文史哲出版社一九九三年本
- 先秦政治思想史　劉澤華撰　南開大學出版社一九八四年本
- 先秦政治思想史　劉澤華撰　南開大學出版社一九八四年本
- 先秦倫理學概論　秦伯昆撰　北京大學出版社一九八四年本
- 清初的羣經辨僞學　林慶彰撰　臺北文津出版社一九九〇年本

・現代新儒學研究論集　方克立編　中國社會科學出版社一九八九年本
・儒家傳統的現代轉化　杜維明撰　中國廣播電視出版社一九九二年本

二 周易

・周易正義〔魏〕王弼、〔晉〕韓伯康注、〔唐〕孔穎達正義　十三經注疏通行本
・周易集解〔唐〕李鼎祚撰　叢書集成初編本
・橫渠易說〔宋〕張載撰　中華書局一九七八年新排張載集
・伊川易傳〔宋〕程頤撰　中華書局一九八一年新排二程集
・溫公易說〔宋〕司馬光撰　四庫全書本
・東坡易傳〔宋〕蘇軾撰　四庫全書本
・周易本義〔宋〕朱熹撰　四書五經通行本
・易纂言〔元〕吳澄撰　四庫全書本
・周易稗疏〔清〕王夫之撰　四庫全書本
・周易尙氏學〔近〕尙秉和撰　中華書局一九八〇年新排本

- 周易古經新注、周易大傳新注　高亨撰　中華書局一九八六年本
- 易經新證　于省吾撰　北平大業印刷局一九三七年本
- 周易通義　李鏡池撰　中華書局一九八一年本
- 周易新論　宋祚胤撰　湖南教育出版社一九八二年本
- 易學四種　金景芳撰　吉林文史出版社一九八六年本
- 白話易經　孫振聲撰　臺灣星光出版社一九八四年本
- 周易的製作時代、周易時代的社會生活　郭沫若撰　郭沫若全集歷史編第一卷
- 周易義證類纂　聞一多撰　聞一多全集第二卷
- 周易卦爻辭中的故事　顧頡剛撰　古史辨第三冊
- 易傳的哲學思想　馮友蘭撰　哲學研究一九六〇年七～八期

三　尚書

- 尚書正義　〔唐〕孔穎達疏　十三經通行本
- 書經集傳　〔宋〕蔡沈撰　四書五經通行本

・東坡書傳 〔宋〕蘇軾撰 學津討原本
・洪範口義 〔宋〕胡瑗撰 叢書集成初編本
・禹貢指南 〔宋〕毛晃撰 叢書集成初編本
・古文尚書疏證 〔清〕閻若璩撰 清經解續編本
・尚書解義 〔清〕李光地撰 李文貞公全集本
・尚書補疏 〔清〕焦循撰 焦氏遺書本
・書經通論 〔清〕皮錫瑞撰 皮氏經學叢書本
・尚書源流考 〔近〕劉師培撰 劉申叔遺書本
・洛誥箋、尚書顧命禮征、尚書顧命後箋 〔近〕王國維撰 觀堂集林本
・書序辨 顧頡剛輯 古籍考辨叢刊第一集
・雙劍誃尚書新證 于省吾撰 民國刊印本
・詩書時代的社會變革及其思想上之反映 郭沫若撰 全集歷史編第一卷
・尚書通論 陳夢家撰 中華書局一九八五年本
・尚書與古史研究 李民撰 河南人民出版社一九八一年本
・尚書史話 馬雍撰 中華書局一九八二年本

·今古文尚書全譯　江灝等撰　貴州人民出版社一九九〇年本

四　詩經

·毛詩正義　〔漢〕毛亨傳、鄭玄箋、〔唐〕孔穎達正義、十三經注疏通行本
·詩集傳　〔宋〕朱熹撰　四書五經通行本
·毛詩本義　〔宋〕歐陽修撰　通志堂經解本
·詩疑　〔宋〕　王柏撰　通志堂經解本
·毛詩傳箋通釋　〔清〕馬瑞辰撰　四部備要本
·詩毛氏傳疏　〔清〕陳奐撰　清經解本
·毛詩後箋　〔清〕胡承珙撰　清經解本
·詩古微　〔清〕魏源撰　岳麓書社一九八九年新校點本
·詩三家義集疏　〔清〕王先謙撰　中華書局一九八七年新校點本
·詩經通論　〔清〕姚際恒撰　中華書局一九五八年校點本
·詩經原始　〔清〕方玉潤撰　中華書局一九八六年校點本

·詩義會通 〔近〕吳闓生撰 中華書局一九五七年新排本
·詩經學 胡樸安撰 商務印書館一九三二年本
·中國古代社會研究 郭沫若撰 全集歷史編第一卷
·詩經通義、詩經新義 聞一多撰 全集第二卷
·澤螺居詩經新證 于省吾撰 中華書局新影本
·古史辨第三冊（有關文章） 顧頡剛等撰 上海古籍出版社新影本
·詩經選 余冠英撰 人民文學出版社一九五六年本
·詩經直解 陳子展撰 復旦大學出版社一九八三年新排本
·詩經今注 高亨撰 上海古籍出版社一九五〇年本
·詩經譯注 袁梅撰 齊魯書社一九八五年本
·詩經韻讀 王力撰 上海古籍出版社一九八〇年本
·詩經與周代社會研究 孫作雲撰 中華書局一九六六年本
·詩經研究史概要 夏傳才撰 中州書畫社一九八二年本、臺北萬卷樓圖書公司一九九三年本
·詩經語言藝術 夏傳才撰 語文出版社一九八五年本、臺北雲龍出版社一九九〇年本

·詩經名著評介　趙制陽撰　台北學生書局一九八三年本
·詩經評釋　朱守亮撰　台北學生書局一九八四年本
·阜陽漢簡詩經研究　胡平生等撰　上海古籍出版社一九八八年本
·詩經詞典　向熹撰　四川人民出版社一九八六年本
·中國古代的祭禮與歌謠　〔法〕格拉耐撰、張銘遠譯　上海文藝出版社一九八九年本

五　三禮

·周禮注疏　〔漢〕鄭玄注、〔唐〕賈公彥疏　十三經通行本
·周禮復古編　〔宋〕俞庭椿撰　四庫全書本
·周禮正義　〔清〕孫詒讓撰　四部備要本
·周禮問　〔清〕毛奇齡撰　西合全集本
·周禮釋注　〔清〕丁晏撰　頤志齋叢書本
·周禮今注今譯　林尹撰　書目文獻出版社影印臺灣一九七四年本
·周禮的政治制度和經濟制度　李普國撰　中州古籍出版社一九八七年本

· 儀禮注疏 〔漢〕鄭玄注、〔唐〕賈公彥疏 十三經通行本
· 儀禮商 〔清〕萬斯大撰 經學五書本
· 儀禮鄭注句讀 〔清〕張爾岐撰 乾隆癸亥初刻本
· 儀禮正義 〔清〕胡培翬撰 清經解續編本
· 禮記正義 〔漢〕鄭玄注、〔唐〕孔穎達疏 十三經注疏通行本
· 禮記集說 〔宋〕陳澔撰 四書五經通行本
· 大學章句集注 〔宋〕朱熹撰 四書五經通行本
· 中庸章句集注 〔宋〕朱熹撰 四書五經通行本
· 五經全譯·禮經 裴澤仁注譯 中州古籍出版社一九九一年本
· 禮記目錄後案 任銘善撰 齊魯書社一九八二年本
· 學記評注 高時良撰 人民教育出版社一九八二年本

六 春秋三傳

· 春秋左傳正義 〔晉〕杜預注、〔唐〕孔穎達正義 十三經注疏通行本

・春秋公羊傳注疏　〔漢〕何休注、〔唐〕徐彥疏　十三經注疏通行本
・春秋穀梁傳注疏　〔晉〕范寧注、〔唐〕楊士勛疏　十三經通行本
・春秋繁露　〔漢〕董仲舒撰　四庫全書本
・春秋左傳注　楊伯峻撰　中華書局一九八一年本
・左傳譯文　沈玉成撰　中華書局一九八一年本
・論左傳　胡念貽撰　收中國社會科學出版社一九八一年本《先秦文學論集》
・春秋公羊通義　〔清〕孔廣森撰　清經解本
・春秋公羊經何氏釋例　〔清〕劉逢祿撰　清經解本
・穀梁中義　〔清〕王闓運撰　光緒十七年刊本
・春秋三傳比義　傅錄朴撰　中國友誼出版公司一九八四年重印台灣本

七　論語

・論語注疏　〔魏〕何晏集解、〔宋〕邢昺疏　十三經注疏通行本
・論語章句集注　〔宋〕朱熹撰　四書五經通行本

・論語學案 〔明〕劉宗周撰 四庫全書本
・論語正義 〔清〕劉寶楠撰 中華書局一九八〇年新排本
・論語新解 錢穆撰 巴蜀書社一九八五年新排本
・論語疏證 楊樹達撰 科學出版社一九五五年本
・論語譯注 楊伯峻撰 中華書局一九五八年本
・論語新探 趙紀彬撰 人民出版社一九五八年本
・孔子評傳 匡亞明撰 齊魯書社一九八五年本
・孔子研究 蔡尚思撰 中國社會科學出版社一九九〇年增訂本
・孔子研究發刊詞 谷牧撰 文匯報一九八六、五、二〇

八 孝經

・孝經注疏 〔唐〕元宗明皇帝注、〔宋〕邢昺疏 十三經注疏通行本
・古文孝經孔氏傳 〔漢〕孔安國撰 四庫全書本
・孝經刊誤 〔宋〕朱熹撰 四庫全書本

・孝經白話注釋　嚴協和撰　三秦出版社重排一九五五年臺灣本

九　爾雅

・爾雅注疏　〔晋〕郭璞注、〔宋〕邢昺疏　十三經注疏通行本
・爾雅義疏　〔清〕郝懿行撰　清經解本
・爾雅郝注刊誤　〔清〕王念孫撰　殷禮在斯堂叢書本
・爾雅今注　徐朝華撰　南開大學出版社一九八七年本
・重印雅學考跋　周祖謨撰　收中華書局一九八一年本《向學集》下册

十　孟子

・孟子注疏　〔漢〕趙岐注、〔宋〕孫奭疏　十三經注疏通行本
・孟子章句集注　〔宋〕朱熹撰　四書五經通行本
・刺孟　〔漢〕王充撰　見《論衡》第二册、中華書局新排本

・孟子字義疏證　〔清〕戴震撰　中華書局一九六一年校點本
・孟子正義　〔清〕焦循撰　清經解本
・孟子學說研究　楊大膺撰　中華書局一九三七年本
・孟子譯注　楊伯峻撰　中華書局一九六〇年本
・孟子研究論文集　孔孟學研究叢書編委會編山東大學出版社一九八四年本
・孟子思想研究論集　吳康等撰　臺灣黎明文化事業公司一九八二年本

國家圖書館出版品預行編目資料

十三經概論／夏傳才著. --初版. --臺北市
：萬卷樓發行：三民總經銷，民 85
冊；　公分
ISBN 957-739-149-4(一套；平裝). --
ISBN 957-739-150-8(上冊；平裝). --
ISBN 957-739-151-6(下冊；平裝)

1. 經學

091.8　　85004686

十三經概論（上、下）

著　　者：夏傳才
發 行 人：許錟輝
總 編 輯：許錟輝
責任編輯：李冀燕
發 行 所：萬卷樓圖書有限公司
台北市和平東路一段 67 號 14 樓之 1
電話(02)3216565・3952992
FAX(02)3944113
劃撥帳號 15624015
總 經 銷：三民書局股份有限公司
台北市復興北路 386 號
訂書專線(02)5006600（代表號）
FAX(02)5164000・5084000
承印廠商：彩色設計製版有限公司
定　　價：600 元
出版日期：民國 85 年 6 月初版
出版登記證：新聞局局版臺業字第伍陸伍伍號

ISBN 957-739-149-4